GUÍA DE
REPTILES

Paidotribo

GUÍA DE
REPTILES

Chris Mattison

Título original: *What Reptile?*
Autor: Chris Mattison
Traducción: Pedro González del Campo
Edición: Mª Ángeles González Moreno

© 2015, Editorial Paidotribo
C/. de la Energía, 19-21 (Les Guixeres) - 08915 Badalona (España)
Tel.: 93 323 33 11- Fax: 93 453 50 33
http://www.paidotribo.com - E-mail: paidotribo@paidotribo.com

Primera edición
ISBN: 978-84-9910-539-0
BIC: MZG; PSVW5; PSVW3

Maquetación: Juanca P. Romero
Impreso en China

El autor

Chris Mattison BSc es licenciado en Zoología por la Universidad de
Sheffield, y está especializado en Historia Natural de reptiles y anfibios.
Ha escrito más de veinte libros y muchos artículos para revistas
especializadas en reptiles y anfibios, en temas de fauna y flora, y en
fotografía de la naturaleza. A lo largo de los años ha emprendido
muchos viajes de trabajo de campo a diversos destinos del planeta,
entre otros varias visitas a América del Norte, América Central y
América del Sur, a las islas Galápagos, al África meridional y oriental, al
sureste asiático, a Borneo, Australia y Madagascar, para estudiar y
fotografiar la fauna y la flora. Ha dado conferencias en Inglaterra,
Escocia, Gales, Suecia, Finlandia, Holanda y Estados Unidos sobre historia
natural de los reptiles y anfibios, y sobre fotografía de la naturaleza.

Agradecimientos

A lo largo de varias
décadas, y dispersa por
múltiples publicaciones, sitios
web, conferencias y charlas privadas,
he atesorado mucha información
sobre reptiles y anfibios. Vaya por
delante mi agradecimiento a tantas
y tantas personas —demasiado
numerosas como para mencionarlas a
todas— que generosamente me han brindado
información sobre el tema. Gracias también a
todas las personas y organizaciones que me
han prestado animales para que los
fotografiase. Muchos de ellos me fueron
facilitados por Craig Robinson, Neil Hardwick,
Sean Allingham y Wayne Swift, de Wharf
Aquatics, Pinxton; otros muchos procedieron
de Andrew Gray y Adam Bland, de la
Universidad de Manchester. También John
Armitage, Jason Barnard, John y Linda Bird,
David Birkbeck, David Burbage, Ben Cornick,
Alan Drummond, Toby Mace, Ben Middleton,
John Pickett y Fred Rassineux me permitieron
amablemente fotografiar los reptiles y anfibios
de sus colecciones privadas. Para finalizar,
Philippe Blais, Alan Francis, Nick Garbutt y
Gretchen Mattison estuvieron conmigo en
varios viajes y me ayudaron a capturar
especímenes para
fotografiarlos.
Nada habría sido
posible sin la
colaboración de
todos ellos.

ÍNDICE

ÍNDICE

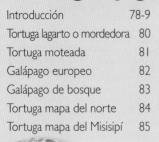

Tortugas y galápagos

Lagartijas y lagartos

Culebras y serpientes

INTRODUCCIÓN

■ *Guía de reptiles* es una obra en la que se muestran algunos de los reptiles y anfibios más famosos a la venta en tiendas de animales, y presentes en las listas de criadores y vendedores especializados. El propósito de este libro es proporcionar información suficiente para decidir la especie de tu elección, para saber procurar cuidados a tu mascota y disfrutar de su compañía. Mantener un animal con vida no es algo que aporte mucha diversión, pero sí conseguir que ese reptil de tu elección se desarrolle bien y, si es posible, se reproduzca.

■ Es importante saber que la lista se compone de especies que suelen estar a disposición de los cuidadores de reptiles. *Eso no significa necesariamente que las recomendemos ni que sean aptas para vivir en cautividad.* Algunas de las especies en venta en el mercado son codiciadas por los especialistas, pero no son recomendables para los no iniciados. Hay otras especies cuyos cuidados parecen sencillos, pero sólo si cuentan con las condiciones adecuadas y si se tiene algo de experiencia en el cuidado de mascotas exóticas. Por ejemplo, las especies que mejor se adaptan a los terrarios exteriores o a los invernaderos, o las que necesitan habitáculos muy grandes o material especializado muy costoso, no son aptas para todo el mundo.

■ En una época en que la población de especies salvajes está sometida a una gran presión demográfica, no se debe promover el comercio de reptiles y anfibios capturados en plena naturaleza, sobre todo si se trata de especies poco comunes o a las que no sea posible proporcionar un entorno adecuado. Siempre que haya opción, se preferirán las que se críen abundantemente en cautividad a aquellas que sólo se consigan capturándolas en su hábitat. En principio, es probable que estén más sanas y libres de parásitos. También se adaptarán mejor a la vida en cautividad y sufrirán menos estrés. Por último, si alguien ha conseguido que se reproduzcan en cautividad, no habrá razón para que tú no puedas lograrlo también, ya que para muchos ésta es la parte más satisfactoria de conservar animales exóticos.

■ La información facilitada es sólo un punto de partida; antes de comprar una especie es esencial investigar todo lo posible. Mi tarea es aportar información sobre el confinamiento y el modo de crear un hábitat adecuado y criar gran variedad de especies; de modo que te permita decidir si sabrás cuidar correctamente de una especie. En

TAMAÑO DEL HABITÁCULO

Cuando se sugieren medidas para los terrarios o acuarios en el apartado **Habitáculo,** *las dimensiones siguen la siguiente fórmula: longitud por anchura y por altura (como el ejemplo de abajo).*

60 x 45 x 30cm

LONGITUD ANCHURA ALTURA

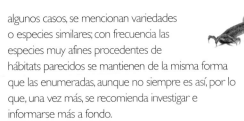

algunos casos, se mencionan variedades o especies similares; con frecuencia las especies muy afines procedentes de hábitats parecidos se mantienen de la misma forma que las enumeradas, aunque no siempre es así, por lo que, una vez más, se recomienda investigar e informarse más a fondo.

■ He intentado reflejar los gastos aproximados de la compra, instalación y mantenimiento de las distintas especies. Resulta muy difícil ser preciso al referirse a estos factores, porque los gastos dependen del lugar donde compres los animales, de la edad que tengan, de la especie que sean, de si te has decidido por un terrario básico o por uno muy elaborado (algunos entusiastas gastan más en plantas, por ejemplo, que en los animales en sí) o de si cultivas, crías y cosechas su alimento o, por el contrario, lo compras, así como de muchos otros factores. Ten esto presente cuando calcules el coste potencial de comprar y cuidar de una nueva adquisición.

ORIENTACIÓN DE GASTOS

Las barras de colores muestran el coste aproximado en las bandas destinadas al precio.

■ Los gastos de mantenimiento comprenden la alimentación, los suplementos, la electricidad y los consumibles, como lámparas. El coste estimado se refiere a los gastos de un mes por animal. En muchos casos, una pareja o un grupo de pocos ejemplares de la misma especie se mantiene por el mismo coste, o un poco más, que un solo ejemplar.

■ La relación de cada especie se leerá acompañada de las secciones introductorias de cada grupo: tritones y salamandras; ranas y sapos; tortugas marinas, galápagos y tortugas terrestres; lagartos y lagartijas, y culebras y serpientes. Estas secciones a menudo aportan información aplicable a todos los animales del grupo. Para una rápida consulta, hemos incluido diversos símbolos al inicio de todas las entradas, y que aportan la información siguiente:

■ Carnívoro
■ Herbívoro
■ Omnívoro
■ Criado en cautividad
■ Precisa lámpara de luz ultravioleta
■ Apto para neófitos

Gastos	Menos de 8 €	De 8 a 40 €	De 40 a 80 €	De 80 a 160 €	160 € o más
Gastos					
Gastos instalación					
Gastos corrientes					

Tritones y salamandras

▓ Tritones y salamandras son urodelos (anfibios con cola); en zoología no se hace distinción entre «tritones» y «salamandras», aunque en general la denominación de «tritón» se suele reservar a las especies que pasan algunas semanas o meses en el agua. Tritones y salamandras, de los cuales hay 619 especies, se localizan sobre todo en el hemisferio norte: América del Norte, Europa y Asia Central. Hay unas pocas especies en América del Sur, África y el sureste asiático, pero ninguna en Australasia. Casi sin excepción prefieren hábitats frescos y húmedos, y son criaturas reservadas que se aventuran a salir por la noche para cazar o buscar a sus congéneres. Durante el día, o en épocas de sequía, se mantienen escondidos bajo troncos, entre las hojas o en galerías excavadas. Unas pocas especies son completamente acuáticas, pero no se suelen mantener en cautividad (con la excepción del ajolote, que es la forma larvaria de una especie por lo demás terrestre). La mayoría de las especies terrestres migran a charcas y otras masas de agua para reproducirse, a menudo en primavera, y algunas otras desarrollan crestas dorsales y aletas en esta época del año.

▓ Todas las salamandras y tritones son carnívoros y se alimentan de invertebrados de cuerpo blando, como lombrices y babosas, y de insectos como grillos y saltamontes. No comen presas que no se muevan. Los renacuajos también son carnívoros y se alimentan de pequeños invertebrados acuáticos como dafnias y larvas de insectos. El tiempo necesario para que alcancen la metamorfosis varía de unas semanas a un año o más, y algunos ejemplares no llegan a metamorfosearse, pues llegan a la madurez sexual mientras todavía conservan características larvarias —como las branquias—, fenómeno que recibe el nombre de neotenia.

▓ La conservación de tritones y salamandras en cautividad debe tener todo esto en cuenta, y su entorno habrá de ser húmedo y fresco. Se utilizan sustratos naturales como lechos de hojas caídas —que a veces se esterilizan si fuese necesario—, musgo esfagno o tierra. A veces también se usan sustratos artificiales como fibra de coco o cortezas, y algunos aficionados han experimentado con productos como bolas de arcilla —de las que se emplean en el cultivo de plantas hidropónicas—, porque retienen humedad sin rezumar. Durante la época de apareamiento, las especies que se reproducen en el agua (a menudo las que llamamos «tritones») necesitan un entorno acuático que, en su forma más sencilla, es un acuario con el suelo de grava, un poco de vegetación acuática y una roca o madero que emerge fuera del agua. Su limpieza se realiza con un filtro de agua o manualmente, cambiando parte del agua a intervalos regulares. Las plantas acuáticas son esenciales para que algunas especies depositen los huevos en ellas.

■ Muchos anfibios se conservan al aire libre en un invernadero, un habitáculo abierto o un vivero temporal, al menos durante parte del año, y requieren menos atención que los ejemplares que viven bajo techo. También es más probable que se reproduzcan. Si se cuenta con espacio, un estanque de jardín es un accesorio esencial para todo el que esté interesado en anfibios, aunque sólo sea para la propagación de especies nativas, muchas de las cuales están amenazadas por la pérdida de su hábitat o de las áreas adecuadas para la reproducción.

■ Varias especies de tritones y salamandras, por ejemplo, la salamandra común, el tritón jaspeado y otros, se crían con éxito en cautividad y son buenas opciones para los neófitos.

Ambystoma mexicanum

Ajolote

PERFIL

El ajolote es la forma larvaria o renacuajo de la salamandra, *Ambystoma mexicanum*, cuya metamorfosis nunca se lleva a cabo. Conserva durante toda su vida las aletas caudales y unas branquias grandes y ramificadas, y es en dicho estado como alcanza la madurez sexual. Nunca abandona el agua, aunque ocasionalmente sale a la superficie a respirar. Está casi extinto en la naturaleza y sólo se halla en el complejo de lagos muy contaminados de México Central, cerca de Ciudad de México. Como se crían fácilmente en cautividad, la población de ajolotes es enorme y es uno de los anfibios más populares de las tiendas de mascotas.

Temperamento

Se dejan ver y rara vez se esconden.

◄ *En su etapa juvenil presentan una cabeza proporcionalmente grande.*

alimentación, es fácil que ingieran piedrecitas por accidente, que podrían dañarlos. Un acuario austero sin nada más en su fondo que algunas rocas grandes o trozos de madera probablemente sea el mejor escenario. El agua se mantendrá limpia con un filtro, aunque también es necesario cambiarla con regularidad debido a su proverbial apetito. Plantas acuáticas flotantes como el musgo de Java *Vesicularia dubyana*, se amarrarán a la madera anegada o a las rocas para tapizar y dar colorido al tanque.

Condiciones ambientales

Temperatura del agua entre 15 y 20 °C. Toleran vivir en aguas más cálidas unos pocos días, pero se evitará la exposición prolongada a más de 22 °C. Las aguas más frías, hasta 10 °C, no plantean problemas, aunque los ejemplares serán menos activos. La presencia de luz no es estrictamente necesaria, aunque, si se introducen plantas en el acuario, se precisará alguna forma de iluminación. Se evitará la exposición directa a la luz solar.

Tiempo de atención

Diez minutos diarios, además del tiempo para limpiar el acuario.

Variedades

Los ajolotes se venden en varios «sabores». En la naturaleza son de color gris oscuro o pardo jaspeado, pero también hay albinos (blancos con los ojos rosados), leucísticos (blancos con los ojos negros), «dorados» (de color crema con los ojos rosados), blancos parciales (con manchas negras o pardas) y varias formas intermedias. Sus cuidados son siempre los mismos. También existe al menos otra especie de ajolote mejicano, la *A. andersoni*, o achoque, muy poco habitual y en

Habitáculo

Un acuario de 60 × 30 × 30 cm es suficiente para uno o dos adultos, aunque es preferible que sea más grande. Necesitan un sustrato de guijarros o rocas de tamaño considerable, ya que, debido a su método de

▲ *El ajolote dorado se obtuvo en cautividad mediante cría selectiva. Hay otras variedades de colores. Conserva de por vida los tres pares de branquias arbóreas externas.*

peligro de extinción en la naturaleza, aunque a veces se venden ejemplares criados en cautividad, caros y difíciles de encontrar. A diferencia de la *A. mexicanum*, esta especie experimenta ocasionalmente metamorfosis espontánea.

◀ *Ejemplar en libertad, aunque un poco más pálido de lo normal.*

Gastos			
G. instalación			
G. corrientes			

Tamaño: 20-25 cm, aunque pueden alcanzan los 40 cm.

Origen: México.

Vida: Al menos 20 años.

Cuidados

Deben alimentarse a diario y también comprobar la temperatura y el nivel del agua, etc.

Alimentación

Comen casi de todo: pescado, larvas de insectos acuáticos, lombrices troceadas y trocitos de carne magra. Son muy voraces y también se acostumbran al pienso de pescado siempre que no flote como el que se da a los peces de vivero; el de trucha es ideal, pero no debe ser su alimentación exclusiva. Los ejemplares jóvenes comen dafnias, larvas de mosca *Chironomidae tetans*, gusanos *Tubifex*, larvas de mosquito, etc. Si no comen regularmente, a menudo se devoran las extremidades unos a otros, y, aunque vuelven a crecer, no es lo ideal tener ajolotes a los que falten una o más extremidades.

Reproducción

Se reproducen con facilidad. Alimentarlos bien y variar la temperatura del agua suele dar sus frutos.

Inconvenientes

Ninguno. Son anfibios ideales para neófitos.

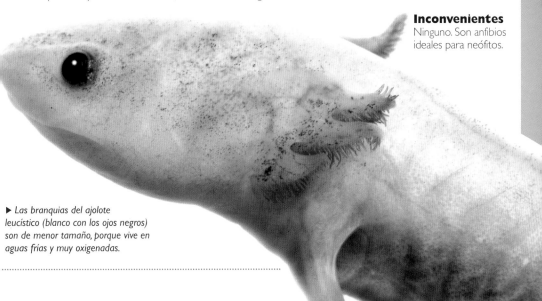

▶ *Las branquias del ajolote leucístico (blanco con los ojos negros) son de menor tamaño, porque vive en aguas frías y muy oxigenadas.*

Ambystoma opacum

Salamandra marmórea

PERFIL

Son pequeñas, rechonchas, con la cabeza aplastada y el cuerpo cilíndrico. Los machos exhiben una librea de bandas transversales blanquecinas sobre fondo gris oscuro, y las de las hembras son grises. No presentan manos palmeadas, y viven y se reproducen en tierra.

Se les puede dejar hibernar los meses más fríos, período durante el cual los cuidados son mínimos.

▼ *La salamandra marmórea,* Ambystoma opacum, *es un pequeño y atractivo miembro de la familia de las salamandras atigradas. Los machos suelen exhibir manchas más brillantes que las hembras.*

Gastos		
G. instalación		
G. corrientes		

Tamaño: 9-11 cm.

Origen: Este de América del Norte.

Vida: Dato desconocido, probablemente muchos años.

reducir la cantidad. Si dejamos que hibernen, se suprimirá también la comida, aunque habrá que pulverizar con agua el terrario de vez en cuando.

Temperamento
De hábitos nocturnos, sigilosas y reservadas. No les gusta que las manipulen.

Habitáculo
Un terrario de cristal de 60 × 30 cm es adecuado para un grupo de pocos miembros. El sustrato será un lecho de hojas caídas de grosor suficiente para que excaven sus galerías, y con abundantes cortezas para que se oculten debajo.

Condiciones ambientales
Temperaturas frescas, hasta 20 °C en verano y 5 °C en invierno. Los ejemplares de zonas más meridionales toleran menos el frío.

Tiempo de atención
De cinco a diez minutos diarios, si bien requieren atención especial durante los períodos de actividad.

Variedades
Las únicas diferencias, ya mencionadas, son de color entre machos y hembras. Hay varias especies afines, pero no es fácil encontrarlas en las tiendas.

Cuidados
El terrario se rociará a conciencia y a diario con un pulverizador, sin dejar que se seque del todo, aunque no debe quedar inundado. Si fuera necesario, pasarán uno o dos días sin comida, y si el alimento quedase en el terrario más de un día, habrá que

Alimentación
Insectos de pequeño tamaño como grillos y lombrices. Su alimentación es prácticamente nocturna, y siempre hay que espolvorear la comida con suplementos de vitaminas y minerales.

Reproducción
En la naturaleza se reproducen en otoño y depositan los huevos en pequeñas oquedades que más tarde se anegan con agua de lluvia, momento en que eclosionan y comienza su desarrollo. Resulta muy difícil, aunque no imposible, simular un escenario semejante.

Inconvenientes
Hay pocos ejemplares jóvenes criados en cautividad que estén a la venta.

Plethodon glutinosus

Salamandra viscosa

PERFIL

Es una salamandra pequeña y delgada con una epidermis más pegajosa que viscosa. Es de color negro jaspeado con pintas blancas, plateadas o amarillas. Varias especies afines reciben el mismo nombre y sus cuidados son similares. Son reservadas y pasan la mayor parte del tiempo bajo tierra en galerías excavadas o debajo de troncos o rocas. Salen de noche, sobre todo si ha llovido, para alimentarse. Su piel es pegajosa porque está recubierta de un moco que secretan para protegerse de sus depredadores. Esta sustancia, aunque no es tóxica, es difícil de quitar.

cortezas dispersas por la superficie para que sirvan de escondrijo. Se evitarán los sustratos ácidos de turba y musgo.

Condiciones ambientales

Ambiente fresco y húmedo. Las temperaturas superiores a 20 °C trastornan a esta especie.

Atención

De cinco a diez minutos diarios. Lo ideal es molestarla lo menos posible, porque se altera con facilidad.

Gastos			
G. instalación			
G. corrientes			

Tamaño: Hasta 15 cm.

Origen: Este de América del Norte.

Vida: Dato desconocido, probablemente varios años.

Cuidados

Se pulverizarán a diario con un poco de agua y se alimentarán dos veces al día. Como son de hábitos nocturnos, lo mejor es dejar estas actividades para el anochecer, cuando es muy probable que estén dedicadas a la caza.

Alimentación

Grillos pequeños y mezclas de insectos diminutos capturados en la naturaleza. Se añadirá a la comida un suplemento de vitaminas y minerales.

Reproducción

Pocas veces se ha intentado.

Temperamento

Es reservada y tímida, y prefiere que no la toquen.

Habitáculo

Un terrario cuyo suelo mida 45 × 20 cm es adecuado para dos o tres ejemplares. La altura es irrelevante porque no trepan, aunque sí deberá estar techado. Una caja de plástico es un buen terrario para esta especie. El sustrato será de tierra o un lecho de hojas caídas, con

▲ *Esta salamandra es una especie de cuerpo alargado y piel lustrosa que prefiere la humedad y la oscuridad. Es fácil de cuidar, pero de hábitos escurridizos. En la naturaleza abandona de noche sus escondrijos para cazar.*

Variedades

Es casi imposible distinguir las diversas especies similares.

Inconvenientes

Son interesantes pero muy reservadas y difíciles de manipular. Rara vez hay a la venta ejemplares criados en cautividad.

Salamandra tigre

PERFIL

Es una salamandra corpulenta, de ojos pequeños y saltones, con la cabeza achatada. Tiene la piel como de caucho con característicos pliegues transversales por todo el cuerpo y una librea diversa a base de puntos, rayas y manchas de color blanco, gris o crema sobre un fondo gris oscuro u oliváceo, según la subespecie. De patas cortas y poderosas, sus manos no están palmeadas. Lleva una vida terrestre, excepto para reproducirse, lo cual ocurre de forma natural en diversas circunstancias.

▲ *Salamandra tigre barrada,* Ambystoma mavortium.

Temperamento

De hábitos nocturnos en la naturaleza, se adapta a la actividad diurna en cautividad. Se muestra muy activa, sobre todo cuando espera la comida. A menudo llega a comer de la mano de su cuidador.

Habitáculo

Un terrario grande de al menos 1 m² de suelo basta para un par de ejemplares o un grupo reducido de adultos. La altura no es importante, porque rara vez escalan. El sustrato se compone de un lecho de hojas caídas o trocitos de corteza cubierto de una espesa capa de musgo natural y cortezas para que pueda esconderse.

El terrario se pulverizará de forma regular y concienzudamente con agua, y no hay que dejar que se seque, aunque no se debe inundar. Una buena ventilación es esencial. Hay larvas (renacuajos) a la venta y se cuidan del mismo modo que los ajolotes. De hecho, algunos no sufren metamorfosis, sino que se

▲ *Variedad de salamandra tigre salpicada de manchas,* Ambystoma melanostictum.

convierten en adultos con branquias, igual que el ajolote mejicano.

Condiciones ambientales

Es muy poco exigente y tolera temperaturas de entre 5 y 25 °C, aunque no se expondrá a temperaturas superiores más de unas horas seguidas. Para que se reproduzca es necesario que hiberne dos o tres meses en invierno entre 5 y 10 °C. En ese momento, si tiene la oportunidad de cavar una hura no se expondrá a temperaturas extremas.

Atención

De diez a quince minutos al día, aunque necesitan atención diaria y regular durante los períodos de actividad. Se permitirá que hiberne durante los meses más fríos, momento en que sólo requerirá atenciones mínimas.

Variedades

Existen ocho subespecies dentro de esta amplia especie, y la salamandra tigre de California, la *Ambystoma californiense*, a veces se considera una subespecie adicional. Las libreas de coloración más vistosa son las de la salamandra tigre barrada, *A. mavortium,* y la salamandra tigre manchada, *A. mavortium*

Gastos				
G. instalación				
G. corrientes				

Tamaño: De 7,5 a 16 cm, aunque excepcionalmente alcanzan más de 35 cm.

Origen: América del Norte.

Vida: Muchos años, al menos 20.

melanostictum, pero hay muchas variaciones, incluso entre ejemplares de la misma zona. Todas ellas son atractivas y buenas mascotas. La salamandra moteada, *A. maculatum*, es parecida, pero sus manchas son lunares amarillos o de color naranja.

▲ *Un buen ejemplar de salamandra manchada. Todas muestran variaciones de color y manchas.*

Cuidados

Se rocía el terrario con agua y se alimentan a diario cuando están activas. Si fuera necesario, se dejarán uno o dos días sin comer para evitar sobrealimentarlas.

Alimentación

Insectos como grillos y también lombrices y

▶ *La salamandra moteada es un poco menos corpulenta que la salamandra tigre.*

babosas. La comida se espolvorea con un suplemento de vitaminas y minerales. Son cazadoras activas

que suelen responder de inmediato a la presencia de comida en el terrario.

Reproducción

Pocas veces se intenta la reproducción en cautividad, pero no debería ser difícil. Hay que pasar los ejemplares a un tanque acuático en primavera después de que se hayan aclimatado y luego hibernado. En climas más frescos, los habitáculos con un pequeño estanque tal vez sean el medio más eficaz para inducirlos a reproducirse.

Inconvenientes

Raramente hay ejemplares jóvenes criados en cautividad, y menos a la venta. Algunas salamandras están en peligro de extinción y el número de subespecies está declinando por diversos factores. En ocasiones exhiben una conducta caníbal, por lo que no es buena idea tener ejemplares grandes y pequeños en un mismo terrario.

Tritón vientre de fuego japonés

PERFIL

Es un tritón de color marrón oscuro con la cara ventral de color rojo o naranja brillantes. La piel es áspera y presenta un par de glándulas sobresalientes (parótidas) en la porción posterior de la cabeza. La cola está achatada por los costados y concluye en un pequeño filamento. Los machos adquieren un tono morado durante la época de apareamiento, cuando su medio es acuático, pero desaparece más tarde cuando se vuelven terrestres.

Temperamento

Se dejan ver si se mantienen en un ámbito acuático, aunque a veces se niegan a comer en el agua después de la época de apareamiento (primavera). Si su entorno es terrestre, desarrollan hábitos nocturnos y se muestran reservados.

Habitáculo

Un acuario de 60 × 30 × 30 cm basta para una pareja o un grupo reducido de adultos. Requieren un sustrato de grava o guijarros, y algunas plantas acuáticas palustres, como *Elodea*, para que las hembras depositen los huevos. Precisan una islita de roca o corteza para que puedan salir del agua ocasionalmente. De este modo, es posible mantenerlos en un ámbito acuático a lo largo del año siempre que el agua no esté demasiado caliente. No necesitan calefacción, aunque el agua se debe mantener limpia con un filtro.

Condiciones ambientales

Temperatura del agua, entre 15 y 20 °C. Toleran aguas más frías, pero no temperaturas más elevadas.

Atención

Diez minutos al día y períodos más largos para limpiar el acuario.

Variedades

Hay seis subespecies identificadas, pero resulta complicado distinguirlas. No hay que confundirlo con el tritón vientre de fuego chino, *Cynops orientalis*, de menor tamaño y piel más suave.

Cuidados

Hay que darles de comer a diario y comprobar la temperatura y otras variables.

Alimentación

Invertebrados acuáticos como larvas de mosca *Chironomidae tetans*, dafnias y larvas de mosquito.

Gastos			
G. instalación			
G. corrientes			

Tamaño: 9-13 cm.
Origen: Japón.
Vida: Dato desconocido; por descontado, muchos años.

▲ *El tritón vientre de fuego hace honor a su nombre, aunque hay otras especies de colores similares.*

También lombrices troceadas.

Reproducción

A menudo crían nada más importarlos, pero luego resulta difícil que se reproduzcan. Un período de hibernación parece ser esencial para su preparación.

Inconvenientes

Ninguno.

Lissotriton vulgaris

Tritón punteado

PERFIL

Es un pequeño tritón europeo que cambia de forma y color durante la época de apareamiento. Los machos desarrollan y exhiben una cresta dorsal, y el vientre luce un color naranja brillante con gruesos puntos oscuros. En ese momento son totalmente acuáticos y viven en pequeñas charcas y acequias. Fuera de la temporada de apareamiento, pierden la cresta, salen del agua y viven debajo de troncos y rocas.

Temperamento

Es tímido cuando vive en tierra, pero más dócil en un acuario.

Habitáculo

Un acuario de cristal de 60 × 30 × 30 cm es adecuado para un pequeño grupo reproductor. Contará con un sustrato de arena o grava y profusa vegetación acuática, sobre todo palustre, en que las hembras puedan depositar los huevos. Cuando abandonan el agua, son más difíciles de alojar. En las áreas en las que se da esta especie de forma natural, se pueden quedar en un pequeño estanque de jardín, donde es frecuente que se acomoden y adapten.

Condiciones ambientales

Necesitan un entorno fresco, entre 10 y 20 °C. Prefieren aguas claras y oxigenadas.

Atención

De cinco a diez minutos al día, con períodos ocasionales más largos para mantenimiento del acuario, limpieza de los filtros, etc.

Variedades

Hay cierta variación entre ejemplares y se han descrito varias subespecies en Europa del Este. Hay otros tritones pequeños, como el tritón palmeado, *L. helveticus*, el tritón de los Cárpatos, *L. montandori*, y el tritón ibérico, *L. boscai*, cuyas necesidades son similares, aunque no suele haber ejemplares en venta.

Cuidados

Se deben alimentar a diario.

Alimentación

Pequeños invertebrados acuáticos, sobre todo dafnias, larvas de mosquito y larvas de mosca *Chironomidae tetans*.

Reproducción

La reproducción ocurre en primavera y las hembras necesitan estar en perfecto estado antes de

Gastos*		
G. instalación		
G. corrientes		

*Su comercialización es ilegal en la mayor parte de sus áreas de distribución geográfica, pero a veces se obtienen ejemplares de amigos con estanques en su jardín. Los precios que damos son del tritón de los Cárpatos, que a veces se vende en tiendas de mascotas.

Tamaño: 10 cm.

Origen: La mayor parte de Europa y zonas de Asia

Vida: Hasta 20 años o más en cautividad.

hibernar. Siempre que sea posible, lo mejor es que la reproducción sea natural y en charcas o acequias al aire libre.

◄ *Durante su fase terrestre, pierde todo vestigio de su cresta dorsal y a veces se confunde con un lagarto; sin embargo, su piel tiene una textura aterciopelada y carece de escamas.*

Inconvenientes

Es difícil de alimentar cuando abandona el agua. Se le pueden dar gusanos blancos *Enchytraeus albidus* y pequeñas lombrices, pero dicha tarea exige mucho trabajo.

Pleurodeles waltl

Gallipato

Es un tritón de tamaño considerable, ojos pequeños y cabeza ancha y achatada. Su cuerpo es rechoncho y en los flancos presenta una fila de verrugas, a menudo de un color naranja pálido, que contienen veneno. Dichas verrugas marcan el extremo sobresaliente de las costillas, que a veces atraviesan la piel. Su librea es de color verde oliváceo con manchas más oscuras, y la piel es áspera. Esta especie es muy acuática y normalmente sólo sale del agua cuando las charcas se secan.

Temperamento

Son muy dóciles y siempre están dispuestos a comer. En ocasiones se pelean por la comida, pero pocas veces se hacen daño unos a otros.

Habitáculo

Un acuario de 60 × 30 × 30 cm es adecuado para una pareja adulta, aunque a los ejemplares muy grandes tal vez se les termine quedando pequeño. El agua tendrá al menos 10 cm de profundidad, y deberá contar con abundantes plantas acuáticas como *Elodea* y un sustrato de grava.

Condiciones ambientales

La temperatura máxima del agua será de 23 °C; la mínima, de 5 °C. Se pueden trasladar a un terrario seco durante la hibernación, y estarán listos para la reproducción cuando se les devuelva al agua en primavera.

Atención

De cinco a diez minutos diarios.

Variedades

Ninguna: aunque hay dos especies afines en el norte de África, pocas veces se ven ejemplares en cautividad.

Cuidados

Alimentarlos a diario y procurar el mantenimiento general del acuario. Se puede usar un filtro,

▲ *Pocas veces salen del agua voluntariamente.*

pero se evitarán corrientes fuertes. Suele ser necesaria la limpieza manual y regular con un sifón.

Alimentación

Comen de todo. Son muy voraces y se atreven con grandes lombrices y larvas del lepidóptero *Pyralidae*, y con las del gusano de la harina.

Gastos			
G. instalación			
G. corrientes			

Tamaño: 15-30 cm y cuerpo muy pesado.

Origen: España y Portugal.

Vida: 25 años o más.

Reproducción

Mucha. Un método es que hibernen fuera del agua para introducirlos luego en un acuario con agua clara y fresca, tras lo cual el apareamiento suele ocurrir en las siguientes 24 horas.

Inconvenientes

Ninguno: no son los anfibios más atractivos, pero son todo carácter y cuentan con la ventaja de la sencillez de sus cuidados.

◀ *Los ojos pequeños y la cabeza manifiestamente chata del gallipato son característicos de la especie.*

Triturus marmoratus

Tritón jaspeado

PERFIL

Tritón de tamaño mediano, piel aterciopelada y coloración muy característica, su brillante librea es verde jaspeada en negro. Los machos exhiben una cresta prominente de color negro y crema durante la época de apareamiento; las hembras y los ejemplares jóvenes, una franja longitudinal naranja en el centro del dorso. Sus colores son brillantes en tierra, y sólo asumen una vida acuática durante la época de reproducción.

Temperamento
Son reservados y casi siempre nocturnos cuando están en tierra, pero en el agua se dejan ver.

Habitáculo
Un acuario de 60 × 30 × 30 cm es adecuado para una pareja o tres adultos. Durante la fase acuática, el agua contendrá abundante vegetación lacustre, y durante la terrestre, un sustrato de tierra o un lecho de hojas caídas y cortezas.

Condiciones ambientale
Temperatura entre 10 y 15 °C. El descanso invernal tiene que ser fresco antes de la reproducción. Durante la fase terrestre, el terrario estará bien ventilado. Esta especie se mantiene a veces en el exterior en un terrario o un invernadero.

Atención
De cinco a diez minutos al día y algún tiempo adicional para limpiar, etc. No requieren atención durante

▼ Los tritones jóvenes y las hembras lucen una franja longitudinal naranja sin ininterrupciones en el centro del dorso.

la hibernación.

Variedades
El tritón pigmeo, *Triturus pygmaeus*, es más pequeño pero de colorido similar. No suele haber ejemplares en venta.

Cuidados
Hay que alimentarlos en la fase acuática, y mantenerlos húmedos y alimentarlos durante la terrestre.

Alimentación
Pequeñas lombrices (en la fase terrestre y en la acuática); dafnias y

Gastos				
G. instalación				
G. corrientes				

Tamaño: 12-15 cm.

Origen: Portugal, España y partes de Francia.

Vida: 10 o más años.

larvas de mosca *Chironomidae tetans* en la fase acuática, y grillos, larvas del lepidóptero *Pyralidae*, etc., en la terrestre.

Reproducción
Su reproducción es difícil. Necesitan un período de hibernación y luego un entorno acuático con abundancia de

▲ Los machos presentan una franja negra y naranja en el dorso cuando acaba la temporada de apareamiento.

plantas. El cuidado de las larvas es relativamente sencillo.

Inconvenientes
A veces es difícil obtener ejemplares. Son preferibles los jóvenes criados en cautividad: se adaptarán mejor.

21

Salamandra común

PERFIL

Esta salamandra rechoncha y de intenso color negro y amarillo tiene las patas cortas y dos glándulas características detrás de los ojos. La cola es redondeada transversalmente y un poco más corta que la longitud combinada de la cabeza y el cuerpo. Las manchas de su librea son muy variadas, dependiendo de su origen o subespecie, pero suele constar de rayas, manchas o lunares amarillos (a veces naranjas o rojos) sobre su brillante piel negra. Es terrestre, vive en zonas húmedas y en penumbra, y sus hábitos son nocturnos. Las hembras paren crías vivas en forma de larvas acuáticas, que depositan en aguas poco profundas, si bien en algunas poblaciones paren crías terrestres totalmente desarrolladas.

▲ *Los renacuajos de salamandra no adquieren la coloración amarilla hasta que casi están listos para abandonar el agua.*

podrán manipularlas en ninguna circunstancia sin supervisión.

Habitáculo

Un terrario grande de 0,5 a 1 m² de superficie es adecuado para un par de ejemplares adultos o un grupo de subadultos. El mejor sustrato es un lecho de 10 cm de espesor de hojas caídas de haya o roble cubierto de musgo y pedazos de corteza. Si se deja un recipiente con agua, no debe ser profundo, porque los adultos no nadan bien. No se precisa calefacción, aunque sí iluminación. Los renacuajos

necesitan un entorno acuático. Mantener salamandras al aire libre es sencillo en las regiones templadas del planeta; el habitáculo contendrá troncos y una pequeña zona de agua con las orillas en pendiente donde las hembras depositarán las larvas.

Condiciones ambientales

Frescor y humedad; la temperatura será inferior a 20 °C. Casi todas las especies toleran bajas temperaturas, casi hasta la congelación, aunque 5 °C es el mínimo de seguridad para la mayoría. Las salamandras no comen cuando hibernan. El sustrato del terrario se mantendrá un poco húmedo (no inundado), por lo que se pulverizará con agua regularmente.

Atención

De cinco a diez minutos al día durante sus períodos activos. Se le puede permitir hibernar durante los

Temperamento

Son de hábitos nocturnos, pero en cautividad se muestran activas al atardecer e incluso de día. Las grandes glándulas situadas detrás de la cabeza (parótidas) secretan una sustancia pegajosa y venenosa que puede matar a un perro o a otros animales pequeños; a pesar de esto, los ejemplares en cautividad se manipularán con seguridad si se siguen unas pocas precauciones: hay que lavarse las manos después de tocarlas y los niños pequeños no

▲ *La salamandra de Córcega,* Salamandra corsica, *presenta unos característicos lunares amarillos.*

meses más fríos, momento en que sus cuidados son mínimos.

Variedades

Es muy variable, con casi quince subespecies identificadas, algunas muy poco corrientes. Las diferencias son de morfología general del cuerpo y de tamaño, así como de extensión de las manchas amarillas y su patrón de distribución. Entre las más atractivas figura la salamandra moteada de Europa Central y del Este; la salamandra pirenaica, *S. s. fastuosa*; la salamandra rayada del norte de Europa, *S. s. terrestris*, y la salamandra de los Apeninos, *S. s. giglioli*. La salamandra de Córcega, *S. corsica*, se considera ahora una especie diferente, que se caracteriza por sus lunares alineados a intervalos regulares, mientras que la salamandra alpina, *S. atra*, es totalmente negra.

Cuidados

Hay que pulverizar el terrario con agua y darle de comer dos o tres veces por semana si está activa. Puede pasar largos períodos sin comer, sobre todo si la temperatura es baja.

Alimentación

Las lombrices son sus favoritas, pero también come grillos y otros insectos pequeños. Aprenderá a comer de tu mano.

Reproducción

La reproducción en terrarios de interior es impredecible, pero se reproducirá anualmente en un escenario al aire libre bien adaptado.

Gastos					
G. instalación					
G. corrientes					

Tamaño: 15-25 cm.

Origen: Toda Europa (pero no el Reino Unido). Especies afines en el oeste asiático y norte de África.

Vida: Vive más de 50 años en cautividad.

▲ *La salamandra común gallega, S. s. gallaica, presenta pequeñas manchas amarillas.*

▼ *La salamandra de los Apeninos exhibe amplias áreas de color amarillo-naranja intenso.*

Inconvenientes

Ninguno, siempre que se tomen las precauciones debidas con sus secreciones venenosas. Hay que comprar ejemplares jóvenes criados en cautividad —siempre hay a la venta—, ya que muchas subespecies están en peligro de extinción.

Tylototriton kweichowensis

Tritón mandarín

Este corpulento tritón de piel áspera y verrugosa exhibe una librea negra y naranja, color que denota peligro y revela la presencia de una fila de glándulas venenosas que recorre el centro de la espalda y los flancos. Las puntas de los dedos también son naranjas. Su conducta suele ser terrestre, y se muda en primavera a aguas someras para reproducirse.

Temperamento

Reservado y de hábitos nocturnos al principio, se vuelve dócil y se deja ver. La piel secreta sustancias venenosas, por lo que no debe ser manipulado demasiado, y nunca por niños pequeños.

Habitáculo

Un terrario de cristal de 100 × 30 × 30 cm es adecuado para una pareja o un grupo reducido. Trepa muy bien, por lo que hay que techarlo con una malla. El terrario contendrá un pequeño estanque y un sustrato de tierra u hojas, con trocitos de madera, cortezas y lajas donde pueda esconderse. No se precisa calefacción ni iluminación. Al ser propensos a las infecciones fúngicas, es importante no atestar el terrario de ejemplares.

Condiciones ambientales

Temperatura de 10 a 20 °C, y un poco más fresca durante la hibernación. El sustrato tiene que ser húmedo, pero no estar anegado, y debe haber una buena ventilación.

Atención

De cinco a diez minutos diarios.

▼ *Hay varias especies parecidas de tritones. El tritón emperador, T. shanjing (arriba), y el tritón mandarín, T. kweichowensis, son muy similares.*

Gastos		
G. instalación		
G. corrientes		

Tamaño: 15-20 cm.
Origen: China.
Vida: Al menos 10 años.

Variedades

Hay varias especies parecidas y ocasionalmente a la venta, como el tritón birmano, *T. verrucosus*, o el tritón emperador, a veces llamado *T. shanjing*, una especie no tan vistosa como el *T. kweichowensis* y de costumbres mucho más acuáticas.

Cuidados

Se deberá rociar el terrario con agua y alimentarlos a diario.

Alimentación

Lombrices, larvas del lepidóptero *Pyralidae*, grillos, etc., siempre con un suplemento vitamínico.

Reproducción

Su cría en cautividad no está muy extendida. Requiere un período terrestre, seguido por uno más fresco y luego otro acuático.

Inconvenientes

Ninguno, aunque no hay ejemplares a la venta criados en cautividad.

Tylototriton taliangensis

Tritón verrugoso de Taliang

Este espectacular tritón es totalmente de color negro mate excepto las puntas de los dedos y dos bultos detrás de la cabeza, que son naranja brillante. Presenta una cresta dorsal ósea y otras dos, menos prominentes, en los flancos. La piel es áspera y seca, y su cabeza muy achatada.

Temperamento

Tiene hábitos nocturnos y prefiere ocultarse durante el día.

Habitáculo

Un terrario de cristal de 60 × 30 × 30 cm es adecuado para una pareja o un grupo reducido. Contendrá un pequeño estanque rocoso y una zona seca con un sustrato de tierra u hojas, con trocitos de madera, cortezas y lajas bajo las cuales puedan esconderse. No se precisa calefacción ni iluminación.

Condiciones ambientales

Entorno fresco y húmedo. Se requiere una temperatura máxima de 20 °C, aunque, si es más baja, mejor, hasta 10 °C por lo menos. Prefiere una iluminación tenue.

Atención

De cinco a diez minutos diarios.

Variedades

A veces se encuentra a la venta otra variedad, el *T. asperrimus*. Es parecido pero su cuerpo no es tan achatado, y carece de las manchas naranjas detrás de la cabeza.

▼ *La apariencia de este tritón tardo de movimientos es la de un dragón. Poco se sabe de su historia natural, aunque se adapta bien a la cautividad si la temperatura es fresca.*

Cuidados

Se deberá rociar el terrario con agua y alimentarlos a diario. No hay mucha información de estas especies, por lo que tal vez sea necesario experimentar para procurarle unas condiciones ideales.

Alimentación

Llombrices y otros invertebrados; sin embargo, se mueven con gran lentitud, por lo que algunos alimentos vivos como los grillos no son adecuados.

Gastos				
G. instalación				
G. corrientes				

Tamaño: 15-20 cm.

Origen: China, donde también hay otras especies afines.

Vida: Probablemente 20 años o más.

Reproducción

Es probable que se requiera algún tipo de hibernación, y después un entorno acuático poco profundo.

Inconvenientes

No se venden criados en cautividad y los que se apresan en la naturaleza a veces no gozan de buena salud. Es mejor adquirir esta especie a cuidadores expertos en anfibios.

Ranas y sapos

■ Al igual que sucede con los tritones y las salamandras, no existe una distinción científica entre «ranas» y «sapos». En todo caso, se trata de anfibios que carecen de cola y pertenecen al orden de los anuros. El término «sapos» se suele reservar a las especies de piel seca y verrugosa, como es el caso de las tan extendidas de la familia de los bufónidos, de los cuales aparecen varios ejemplos en este libro.

■ Ranas y sapos se distribuyen casi por todo el mundo y hay 5.966 especies conocidas según los últimos datos. La mayoría de las especies son terrestres, excepto durante la reproducción, si bien hay algunas totalmente acuáticas o terrestres, que se reproducen en tierra. El ciclo vital de los anuros es bien sabido: comienza por la puesta de la freza o las huevas, que se alargan revelando los renacuajos, a los que crecen patas y que más tarde reabsorben la cola antes de desarrollar pulmones y abandonar el agua para vivir en tierra hasta llegar la época reproductiva. Los anuros que se reproducen en tierra son en su mayoría tropicales y depositan grumos de huevas en lugares húmedos, donde terminan su desarrollo sin convertirse en renacuajos de vida independiente. Todo el que quiera criar ranas debe aprender las características del ciclo vital de cada especie.

■ Se tendrán en cuenta todos estos factores al preparar un habitáculo para anuros, que puede ser acuático (acuario), terrestre (terrario) o bien constar de una zona acuática y otra terrestre. Muchos anuros trepan y reciben el nombre de ranas arborícolas o ranas de los cañaverales, en cuyo caso requieren terrarios más altos que los adaptados a los anuros puramente terrestres o que excavan galerías. Las especies de hábitos subterráneos necesitan un sustrato profundo, suelto y friable en que puedan cavar. Sustratos adecuados son los lechos de hojas caídas o las mezclas de arena y hojas o fibra de coco. Muchos anuros viven en terrarios de flora diversa que a veces son un hermoso elemento decorativo para el hogar, sobre todo si cuentan con agua circulante y plantas vivas. Los terrarios de este tipo son casi obligatorios para tener ranas flecha en casa, que son de las especies más apreciadas por los herpetólogos. Otros anuros necesitan un entorno mucho más sencillo, y se debe tener en cuenta el tipo de habitáculo y su tamaño y coste al elegir la especie de anuro adecuada.

■ Con sólo dos posibles excepciones que no nos conciernen aquí, todos los anuros son carnívoros, y su alimentación abarca desde diminutos colémbolos y ácaros que viven entre los lechos de hojas caídas hasta vertebrados como roedores, peces y otros anuros. Algunas especies persiguen y cazan a sus presas, mientras que otras esperan al acecho a que se pongan a su alcance. La mayoría de los anuros comen insectos pequeños, como grillos y cucarachas. Como estos insectos se crían artificialmente, a veces carecen de algunas vitaminas y minerales, que se pueden espolvorear adquiriendo el suplemento adecuado de los muchos que hay a la venta. Como la mayoría de las especies son de hábitos nocturnos (las ranas flecha son una excepción notable), lo mejor es darles de comer al atardecer, para que ingieran los insectos antes de que pierdan todo el polvo de vitaminas. Igualmente, si los insectos —sobre todo grillos— se suministran con otros alimentos como migas de pollo o verduras como zanahoria, tendrán un valor nutricional más alto que los que se arrojan directamente del frasco en que se han comprado.

■ Un buen número de anuros se crían en cautividad, como es el caso de especies tan carismáticas como los escuerzos o las ranas cornudas de América del Sur, que pertenecen al género *Ceratophrys*, la rana toro africana, las ranas de vientre de fuego, las ranas arborícolas rechonchas o de White y otras. Todas son una buena elección para los neófitos. Muchas ranas flecha se crían en cautividad y en buen número, pero sus cuidados no son tan sencillos, de modo que es probable que lo mejor sea evitarlas hasta haber adquirido cierta experiencia con especies más resistentes (¡y menos caras!).

Hymenochirus boettgeri

Rana enana africana

PERFIL

Esta rana completamente acuática y de pequeño tamaño procede del África tropical y vive en acuarios. Presenta un cuerpo aplastado en toda su extensión, con las patas y los brazos dispuestos a los lados. La espalda, las extremidades y la cabeza son de color pardo o canela con multitud de puntitos negros, y está cubierta de pequeñas verrugas granulares.

Temperamento
Vivaz y activa durante el día y la noche.

Habitáculo
Un acuario de 45 × 25 × 25 cm alojará a un grupo reducido. Contará con una tapadera segura, porque las ranas suelen trepar o saltar fuera. El sustrato puede ser grava de acuario, con fragmentos de rocas o trozos de cerámica para esconderse. Las plantas arraigarán en la grava, y hay especies lacustres, como el musgo de Java o *Vesicularia*, que flotan o se amarran a madera de deriva. Pueden convivir con peces tropicales en el acuario, pero hay que vigilar que éstos no las dejen sin comida.

Condiciones ambientales
La temperatura, de 20-25 °C, se regula bien con un pequeño calentador de acuario y un termostato. Se usará un filtro para mantener limpia el agua, pero sin turbar el entorno, porque su hábitat natural es de aguas estancadas.

Atención
Unos pocos minutos diarios para alimentarlas, y ocasionalmente períodos más largos para el mantenimiento del acuario.

Variedades
De otra especie, la *Hymenochirus curtipes*, se venden ejemplares a veces, pero las diferencias entre ellas son mínimas y sus cuidados son idénticos. La mayoría de las ranas de acuario de las tiendas de mascotas son ranas enanas africanas.

Cuidados
Hay que darles de comer a diario.

Alimentación
Larvas vivas de mosca *Chironomidae tetans* y dafnias son el mejor alimento, aunque también las toman congeladas (no liofilizadas) si son de buena calidad, así como productos similares. No son buenas las escamas ni los palitos de pescado.

Reproducción
Difícil. Es un problema conseguir que desoven, y los renacuajos son minúsculos y necesitan comida viva de tamaño diminuto.

Inconvenientes
Ninguno, excepto la falta de ejemplares en venta criados en cautividad.

Gastos				
G. instalación				
G. corrientes				

Tamaño: 3-4 cm.
Origen: África ecuatorial.
Vida: 10 años, posiblemente más.

▲ *Rana enana africana,* Hymenochirus boettgeri.

Xenopus laevis

Rana de uñas africana

PERFIL

Esta rana (o sapo) completamente acuática tiene el cuerpo con forma de pera, la piel lisa, las patas traseras muy palmeadas y las delanteras muy cortas. Los ojos son pequeños y se sitúan encima de la cabeza. De color gris o pardo grisáceo, tiene el vientre más pálido. El dorso está moteado con manchas más claras o más oscuras. Suele flotar con las patas delanteras situadas a los lados, y usa las uñas como tenedores para llevarse la comida a la boca.

Temperamento

Habitualmente plácida, siempre está atenta a la oportunidad de comer. Comerá el alimento de unas pinzas, y también ocasionalmente de los dedos, ya que no es nada reticente con la comida.

Habitáculo

Un acuario de 60 × 30 × 30 cm es suficiente para una pareja de adultos. Debe tener una tapadera segura, porque a veces se fugan saltando y sobreviven poco tiempo sobre suelo seco: el sustrato será de grava y contará con escondrijos, como una maceta rota de arcilla. Las plantas naturales son una pérdida de tiempo, porque estas ranas acaban desraizándolas.

Condiciones ambientales

Tropicales pero sin exigencias. Les sienta bien una temperatura de 23 °C, pero no morirán si baja hasta 10 °C. Esta especie se ha establecido en las zonas más cálidas del Reino Unido, así como en el sur de Estados Unidos, donde se ha convertido en una plaga.

Atención

De cinco a diez minutos al día, y ocasionalmente períodos más largos para el mantenimiento del acuario.

Variedades

Es fácil encontrar ranas de uñas albinas o doradas, y hay otras especies, todas parecidas.

Cuidados

Comen a diario y se deben atender los cuidados generales del acuario. Se puede usar un filtro, aunque estas ranas son bastante sucias con la comida y a menudo es necesario limpiarlo con un sifón.

Alimentación

Lombrices, trocitos de carne magra. Acostumbran a comer bolitas de pienso para peces o para tortugas y otros alimentos procesados.

Reproducción

No resulta fácil. Agregar agua fría en ocasiones estimula el amplexo (el abrazo para la cópula), pero pocas veces la hembra deposita huevas

Inconvenientes

No es posible que convivan con otros animales acuáticos como por ejemplo peces, porque acaban comiéndoselos.

Gastos		
G. instalación		
G. corrientes		

Tamaño: 10-15 cm.	
Origen: Sur de África.	
Vida: 20 años, posiblemente más.	

▲ *La rana de uñas africana se encuentra en varios colores. Éste es un ejemplar hallado en la naturaleza.*

Bombina orientalis

Sapillo de vientre de fuego

Es éste un sapito de colorido casi imposible. La espalda es verde brillante (a veces marrón) con líneas de puntos negros a intervalos regulares. El vientre, por el contrario, es de un rojo brillante con manchas negras. La finalidad de este vientre tan llamativo es avisar a los depredadores de las sustancias desagradables que produce la epidermis y secretan las múltiples verrugas redondas de su espalda y patas. Su conducta cuando se siente amenazado es arquear la espalda y levantar las palmas de las manos y los pies para mostrar su brillante colorido. Los ejemplares criados en cautividad rara vez o nunca muestran esta conducta ni producen toxinas, aunque, como con el resto de los anfibios, se recomienda encarecidamente lavarse las manos después de manipularlos. No se dejará a los niños que los toquen sin supervisión. Esta especie pasa mucho tiempo en el agua y suele apostarse asomando sólo los ojos y las ventanas nasales. Si se les molesta o localizan comida, salen disparados nadando para esconderse o atrapar a su presa.

Temperamento

Se adaptan con rapidez a su nuevo entorno, aunque a veces tardan en calmarse. Contar con escondrijos donde refugiarse cuando sienten peligro les ayuda a superar el nerviosismo.

Habitáculo

Un acuario-terrario de 60 × 30 × 30 cm es suficiente para una pareja o un grupo de hasta cuatro ejemplares adultos. La mitad del área superficial será agua de una profundidad de 5-10 cm. Vegetación flotante y madera de deriva ofrecerán refugio a estos anuros. El área seca puede ser una laja o plancha de corcho o helechos. Una alternativa es que el fondo del terrario se divida en dos compartimientos separados por un cristal y uno de ellos se llene de grava cubierta con musgo y trocitos de madera o corteza.

Condiciones ambientales

Esta especie prefiere una temperatura de 20-25 °C que se regula con una unidad eléctrica bajo del terrario o con un foco de luz dirigido hacia una zona de insolación en la sección seca. Tolerará caídas ocasionales de la temperatura. El agua se mantiene limpia con un pequeño filtro, aunque habrá que cambiar el 50 % cada dos semanas para prevenir la acumulación de sustancias químicas dañinas.

◄ ▲ *El brillante vientre rojo de este sapillo avisa a los depredadores de que es venenoso.*

oriental

Atención

De cinco a diez minutos al día, y casi una hora cada dos semanas para la limpieza y mantenimiento del terrario, según la complejidad del paisaje.

Variedades

Los sapillos de vientre de fuego oriental pueden tener la espalda de color verde o pardo grisáceo brillante. Todos son de la misma especie y sus cuidados son idénticos. La variedad sapillo vientre de fuego mayor, *Bombina maxima*, procedente de China, es un poco más grande y tiene la espalda totalmente cubierta de verrugas. Su color es gris con el vientre negro y naranja. Prefiere ambientes frescos, si bien sus cuidados son similares a los del sapillo vientre de fuego oriental. Pocas veces se encuentran ejemplares en venta.

Cuidados

Hay que darles de comer a diario y cambiar el agua con regularidad.

Alimentación

Insectos como grillos, larvas del lepidóptero *Pyralidae* y lombrices pequeñas. La dieta debe ser variada.

Reproducción

La reproducción sólo sucede si los sapillos se exponen a un período más fresco que dure unos dos meses durante el invierno. Una temperatura de 15-20 °C parece ser suficiente para condicionarlos, y en ese momento necesitan mantenerse en tierra, sobre musgo.

Gastos			
G. instalación			
G. corrientes			

Tamaño: 5,5 cm.	
Origen: Sureste asiático.	
Vida: Hasta 15 años.	

◀ *El colorido verde de su espalda es un perfecto camuflaje visto desde arriba.*

Que entren en calor y devolverlos al agua suele ser suficiente para inducir la freza.

El cuidado de los renacuajos es sencillo, si bien los renacuajos metamorfoseados son muy pequeños y necesitan comida en miniatura, como grillos recién eclosionados.

Inconvenientes

Ninguno; es muy fácil conservarlos sanos, incluso si eres un neófito.

◀ *El sapillo de vientre de fuego mayor es la variedad más grande del género, y presenta una espalda especialmente verrugosa. Sus rechonchos antebrazos revelan que se trata de un macho.*

Bombina variegata

Sapo de vientre amarillo

PERFIL

Es éste un sapito semiacuático natural de Europa. Su espalda es de color gris u oliváceo y su vientre amarillo y negro; en algunos ejemplares domina el amarillo, dependiendo de cuál de las tres subespecies se trate. Se muestra activo y vive en masas de agua someras, a menudo charcos temporales, roderas, etc. Prefiere el clima cálido pero tolera el frío.

Temperamento

Muy vivaz y divertido. A veces es tímido pero supera la timidez si se le ofrece comida.

Habitáculo

Un acuario-terrario de 45 × 20 × 20 cm cubierto con 5 cm de agua y con puntos para salir fuera es adecuado para un grupo de cuatro a seis ejemplares adultos. El paisaje puede ser más elaborado, si bien pasan la mayor parte del tiempo flotando a flor de agua. Como alternativa se pueden mantener al aire libre en verano en un estanque poco profundo dentro de un vivero o en un invernadero.

Condiciones ambientales

Lo ideal es que el agua tenga una temperatura de 20-25 °C, pero toleran condiciones más frías. Hay que cambiar el agua ocasionalmente.

Atención

De cinco a diez minutos al día, con períodos más largos para limpieza y mantenimiento del terrario.

Variedades

Las tres subespecies son difíciles de diferenciar. Hay otra especie, la *Bombina pachypus*, del sur de Italia, que es un poco más grande. El sapillo de vientre de fuego, del norte de Europa, se distingue por un vientre rojo y negro azulado. Estas dos últimas especies pocas veces se ven en cautividad.

Gastos			
G. instalación			
G. corrientes			

Tamaño: Hasta 4 cm.
Origen: La mayor parte de Europa (pero no Gran Bretaña).
Vida: Hasta 15 años, posiblemente más.

Cuidados

Deben comer a diario y hay que cambiar el agua con regularidad.

Alimentación

Insectos como grillos y pequeñas larvas del lepidóptero *Pyralidae* y otros insectos pequeños y arañas de jardín.

Reproducción

A menudo se reproducen en recintos al aire libre, después de un período frío en invierno. La crianza de los renacuajos es sencilla, a pesar de que sean muy pequeños al principio.

Inconvenientes

Ninguno. Esta especie da muchas alegrías y a veces hay a la venta ejemplares jóvenes criados en cautividad.

◀ *El sapo de vientre amarillo,*
Bombina variegata, es una
especie europea muy poco exigente que
puede vivir en entornos muy sencillos.
Es fácil de cuidar y conseguir que críe.

Discoglossus pictus

Sapillo pintojo mediterráneo

PERFIL

El sapillo pintojo mediterráneo es una especie de pequeño tamaño y tacto pegajoso con verrugas dispersas por todo el cuerpo. Sus colores son muy variados, como pardo, verdoso, amarillo o rojo, aunque siempre presenta una mancha negra detrás de los ojos que cubre los tímpanos. Vive dentro de charcas o a su vera, también en acequias y cursos de aguas tranquilas. El sapillo pintojo «original», *D. pictus*, se ha dividido en varias especies, por lo que resultará difícil saber cuál te están vendiendo.

Temperamento
Se muestra activo día y noche. Pasa la mayor parte del tiempo en aguas someras y sólo asoma la cabeza.

Habitáculo
Un terrario de 60 × 30 × 30 cm es el tamaño mínimo para uno o dos adultos. Lo ideal es dividirlo por igual en una zona acuática y otra seca, con algún punto, como una corteza curva, para que se escondan en tierra, y el agua estará densamente poblada con plantas. También se crían al aire libre en un invernadero o un vivero.

Condiciones ambientales
La temperatura ambiente es idónea y la iluminación debe ser tenue.

Atención
De cinco a diez minutos al día.

Variedades
Hay varias especies de sapillo pintojo mediterráneo en otras partes de Europa y norte de África; su aspecto es similar y se confunden con facilidad, si bien sus cuidados son los mismos.

Cuidados
Hay que darles comida a diario y limpiar el terrario ocasionalmente.

Alimentación
Insectos como grillos, espolvoreados con un

▼ *Este sapillo muestra variedad de libreas, si bien todas son atractivas, y se adapta fácilmente a la vida en cautividad.*

suplemento de vitaminas y minerales.

Reproducción
Se reproducen sin problemas en recintos al aire libre, mientras que la reproducción en un terrario puede resultar más complicada.

Inconvenientes
Son difíciles de conseguir, aunque cierto número de criadores ponen ejemplares jóvenes en venta todos los años.

Gastos		
G. instalación		
G. corrientes		

Tamaño: 5-8 cm.	
Origen: Europa y norte de África.	
Vida: Se desconoce, probablemente unos 5 años	

Pelobates fuscus

Sapo de espuelas pardo

PERFIL

Este sapo rollizo, de piel suave y enormes ojos dorados, tal vez exhiba una librea de color pardo, gris, arenoso o rojizo, y las manchas de su espalda son igualmente variables. Como otros sapos de espuelas europeos, vive en áreas llanas y dunas de arena, brezales, bosques sin monte bajo y campos de cultivo. Pasa la mayor parte de su vida bajo tierra y se entierra hacia atrás, abriendo galerías con las afiladas «espuelas» de sus patas traseras. Sus correrías son nocturnas, sobre todo cuando ha llovido, para comer y reproducirse.

Temperamento
Son adaptables y tolerantes si no se manipulan mucho en cautividad.

Habitáculo
Un terrario de 60 × 15 × 15 cm es ideal para una pareja adulta o un grupo de ejemplares jóvenes. La altura no es tan importante como

el área superficial, y el sustrato contendrá al menos 10 cm de suelo arenoso. La arena pura no es tan satisfactoria como una mezcla de arena y marga. Unos trozos de pizarra lisa o de corteza ayudan a

que el sustrato retenga la humedad a nivel local mientras el resto del terrario está seco. Como alternativa, pueden estar al aire libre en un vivero o un invernadero.

Condiciones ambientales
La temperatura ambiente es adecuada entre 15 y 23 °C. El sustrato nunca se debe secar por completo ni estar anegado.

Atención
De cinco a diez minutos diarios.

Variedades
No hay más variedades que el sapo de espuelas del este, *P. cultripes*, a veces a la venta y que recibe los mismos cuidados.

Cuidados
Hay que darles de comer a diario y comprobar el contenido del agua del sustrato.

Gastos			
G. instalación			
G. corrientes			

Tamaño: 5-6 cm; las hembras son más grandes que los machos.

Origen: Europa Central y del Este.

Vida: Muchos años.

◀ ▲ *El sapo de espuelas pardo es un anuro atractivo e interesante, aunque pase la mayor parte del tiempo bajo la superficie en una galería y, por tanto, no sea una especie que se deje ver mucho.*

Alimentación
Insectos pequeños como grillos.

Reproducción
La cría en cautividad ocurre de forma regular. Se requiere un período seco al que siga otro con abundancia de agua.

Inconvenientes
Sólo emergen a la superficie por la noche.

Scaphiopus couchii

Sapo de espuelas de Couch

PERFIL

Este sapo de los desiertos de América del Norte pasa gran parte de su vida bajo tierra, en galerías que excava hacia atrás usando las «espuelas» callosas de sus patas traseras hasta quedar oculto por completo. Emerge cuando llueve para procrear y alimentarse. Es de color marrón o verde amarillento, con manchas pardas más oscuras. Las hembras muestran una librea más atrevida que los machos. Ambos sexos tienen ojos de brillante color amarillo.

Temperamento
De carácter plácido y hábitos muy nocturnos, pocas veces se les puede ver en la superficie durante el día.

▶ *El sapo de espuelas de Couch lleva un estilo de vida similar al del sapo de espuelas pardo, y sus necesidades son parecidas.*

Habitáculo
Un terrario de 60 × 30 × 30 cm es ideal para una pareja adulta o un grupo reducido. El sustrato contendrá al menos 10 cm de suelo arenoso, y trozos de corteza o corcho sobre la superficie. No necesita un recipiente con agua si el sustrato está húmedo.

Condiciones ambientales
Una temperatura de 15-25 °C es adecuada, pero también toleran temperaturas inferiores.

Atención
De cinco a diez minutos diarios.

Variedades
Hay otras especies de sapos de

Gastos		
G. instalación		
G. corrientes		

Tamaño: 5-8 cm.

Origen: América del Norte (estados del sur y centro, adentrándose en México).

Vida: Dato desconocido.

espuelas americanos, cuyas condiciones de vida son parecidas.

Cuidados
Hay que darles de comer a diario por la tarde, excepto si la comida del día anterior sigue en el terrario, y comprobar con regularidad que el sustrato no se seca.

Alimentación
Insectos como grillos y cucarachas.

Reproducción
Difícil. Habría que dejar que permanecieran bajo tierra en un ambiente seco y fresco durante varias semanas o meses antes de elevar la temperatura e inundar el terrario con agua.

Inconvenientes
Son muy reservados y pocas veces se dejan ver. Criados en cautividad son difíciles de encontrar, si es que alguna vez están en venta.

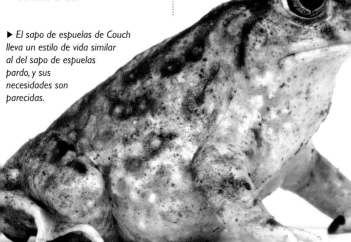

35

Megophrys nasuta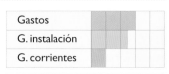

Sapo hoja malayo

PERFIL

Extraño aunque interesante sapo del sureste asiático, también llamado rana cornuda malaya, con aspecto de hoja de árbol caída –por su forma y colorido–, patas cortas, hocico apuntado y unas proyecciones a modo de cuernos sobre los ojos. Es una especie originaria de los bosques tropicales, perfectamente camuflada entre las hojas muertas, y con una boca enorme con la que engullir grandes presas.

▲ *El sapo hoja malayo es una especie extraña; su forma imita las hojas muertas.*

Gastos			
G. instalación			
G. corrientes			

Tamaño: 9-16 cm; las hembras casi el doble que los machos.

Origen: Sureste asiático.

Vida: Dato desconocido, unos 10 años, probablemente más.

Temperamento
Se adaptan bien a la vida en cautividad siempre que existan las condiciones correctas.

Habitáculo
Un terrario grande de 60 × 30 × 30 cm es adecuado para uno o dos ejemplares. Basta con un sustrato de arena y marga cubierto por un denso lecho de hojas caídas, y algunos

tronquitos o trozos de corteza bajo los cuales esconderse. Sería preferible un terrario mucho más grande al cual incorporar una zona de agua corriente si queremos que se reproduzcan.

Condiciones ambientales
Ambiente tropical: lo ideal son 25 °C por el día y 20 °C por la noche, aunque toleran temperaturas más bajas si gozan de buena salud.

Atención
De diez a quince minutos diarios.

Variedades
Ninguna. Hay especies afines pero ninguna de ellas llega a las tiendas de mascotas.

Cuidados
Hay que darles de comer a diario, al atardecer, pulverizar el terrario con agua una o dos veces al día y atender el mantenimiento general.

Alimentación
Insectos grandes, como grillos y cucarachas, que se espolvorearán con vitaminas y minerales en cada comida.

Reproducción
Muy difícil. Se necesitan cursos de agua artificiales muy elaborados, y los renacuajos son difíciles de criar.

Inconvenientes
No se venden ejemplares jóvenes criados en cautividad y a menudo no gozan de buena salud.

◄ *Esta fotografía de un par de ranas cornudas malayas en amplexo muestra la enorme discrepancia de tamaño entre machos y hembras.*

Dendropsophus marmoratus

Rana marmórea

PERFIL

Esta especie ha aparecido hace relativamente poco en el mercado de mascotas, pero es interesante y de pocos cuidados. Su principal característica es su librea de camuflaje; aunque a veces parezca una cagada de pájaro, es más probable que camufle a la rana cuando descansa sobre ramas cubiertas de musgo. El vientre presenta un color más brillante, negro y amarillo intenso en los machos, y menos colorido en las hembras. Se localiza en la cuenca del Amazonas y necesita condiciones de clima tropical para vivir.

▲ *De hábitos nocturnos, busca pequeños insectos en las horas de oscuridad.*

Temperamento
Aunque nocturna, descansa a plena luz durante el día, a menudo camuflada sobre una superficie.

Habitáculo
Un terrario alto o con forma de cubo de 45 × 45 × 60 cm es adecuado para una pareja o un grupo reducido. Se acondicionará con un sustrato que retenga la humedad, como un lecho de hojas muertas o de fibra de coco, ramas y enredaderas para trepar, y algo de vegetación, a poder ser viva, como higueras trepadoras y bromelias.

Condiciones ambientales
Humedad tropical: la temperatura ideal ronda los 23-25 °C durante el día, pero puede bajar por la noche. Es necesario pulverizar el terrario con agua y ventilarlo frecuentemente.

Atención
De cinco a diez minutos diarios.

Variedades
Ninguna conocida hasta el momento.

Cuidados
Hay que darle de comer y pulverizar el terrario con agua a diario.

Alimentación
Pequeños insectos como grillos y moscas. La comida se espolvoreará con un suplemento de vitaminas y minerales, y se ofrecerá al atardecer, antes de que se le vaya el polvo.

Gastos			
G. instalación			
G. corrientes			

Tamaño: 2,5-3,5 cm.	
Origen: América del Sur.	
Vida: Dato desconocido.	

Reproducción
Dato desconocido. Es probable que precise una cámara de lluvia y un área con agua para desovar.

Inconvenientes
Ninguno, aunque por el momento no hay a la venta ejemplares jóvenes criados en cautividad.

▲ *Su librea moteada es un camuflaje excelente cuando esta rana descansa sobre superficies cubiertas de líquenes.*

SAPO HOJA MALAYO / RANA MARMÓREA

37

Hyla arborea

Ranita de San Antón o de San Antonio

Rana arborícola de brillante color verde con los dedos «pegajosos» y dilatados en las puntas. Presenta una raya parda en su flanco que la distingue de especies muy afines. Esta especie cambia de color con rapidez, volviéndose parda o amarilla pálida, y algunos ejemplares lucen topos en la espalda. Su croar es muy audible y ronco, y lo repite muchas veces. La llamada de un macho animará en seguida a que las ranas de los alrededores la imiten.

Temperamento
Especie vivaz que a menudo se muestra activa durante el día y se adapta bien a la vida en cautividad.

Habitáculo
Un terrario alto, de unos 60 cm de alto, es lo ideal. Se adornará con ramas y plantas, preferentemente vivas, para que trepen y se oculten, aunque pasarán mucho tiempo pegadas a las paredes de cristal del

◄ *Muchas ranas arborícolas presentan ventosas dilatadas en las puntas de los dedos.*

terrario. Una zona con agua impedirá que se deshidraten. Se necesitará iluminación si se adorna con plantas vivas.

Condiciones ambientales
No es una especie delicada; le convienen temperaturas de 18-25 °C, aunque también las tolera mucho más bajas. La temperatura ambiente suele ser adecuada. Se pueden conservar al aire libre en invernaderos en el norte de Europa.

Atención
De cinco a diez minutos diarios.

Variedades
Existe una mutación de color azul brillante muy poco corriente en la

Gastos		
G. instalación		
G. corrientes		

Tamaño: 4-5 cm.

Origen: Europa del Norte, Central y del Este, zonas de España y Portugal.

Vida: Al menos 10 años, posiblemente hasta 20.

naturaleza. Hay al menos otras tres ranas arborícolas europeas, que se diferencian sólo por pequeños detalles. Todas requieren condiciones similares para vivir.

Cuidados
Darles de comer y pulverizar el terrario con agua a diario.

Alimentación
Insectos y arañas. Les gustan mucho los insectos voladores, como las moscas.

Reproducción
Con frecuencia se reproducen al aire libre en invernaderos, y a veces bajo techo en grandes terrarios. Un período frío en invierno parece ser importante, seguido por un tiempo más cálido en primavera.

Inconvenientes
Son ruidosas (por decir poco). Es posible comprar ejemplares criados en cautividad.

◄ *Ranita de San Antón,* Hyla arborea.

Hyla cinerea

Rana verde de Carolina

PERFIL

Es una rana arborícola de tamaño mediano con las yemas de los dedos expandidas en ventosas, rasgo típico de su familia. Su dorso es de un brillante color verde hierba con una raya transversal de color crema a lo largo de los flancos, aunque a veces está ausente en algunos ejemplares. Ocupa variedad de hábitats y a veces se la ve en las ventanas por la noche, cazando insectos que atrae la luz. El reclamo que emiten los machos como llamada puede sonar muy alto. El tiempo húmedo suele estimular el canto, como también ciertos ruidos fuera del terrario (tuve una rana que croaba siempre que empezaba a usar la máquina de escribir).

Temperamento
Por lo general se aclimatan bien a la vida en cautividad, aunque son más activas por la noche.

Habitáculo
Se necesita un terrario alto, de unos 60 cm de alto, con ramas y plantas de grandes hojas, para que las ranas trepen y se oculten. Una zona con agua impedirá que se deshidraten.

Condiciones ambientales
Una temperatura de 20-25 °C y una buena alimentación las mantendrán activas, aunque toleran temperaturas más bajas durante períodos cortos. La humedad será bastante elevada siempre. Sólo se requiere iluminación si el terrario contiene plantas vivas.

Atención
De cinco a diez minutos diarios, y un poco más de tiempo para el mantenimiento del terrario.

Variedades
Ninguna, aparte de algunas pequeñas variaciones entre ejemplares.

Gastos				
G. instalación				
G. corrientes				

Tamaño: 3-5,5 cm.

Origen: Sureste de Estados Unidos.

Vida: Dato desconocido, probablemente 10 años o más.

Cuidados
Hay que darles de comer y pulverizar el terrario con agua por lo menos una vez al día.

Alimentación
Insectos pequeños como grillos y arañas que se pueden capturar al aire libre.

Reproducción
Casi nunca se intenta, pero no debería ser difícil. Precisan un período frío seguido por otro de temperaturas más altas y lluvia simulada.

Inconvenientes
Tan sólo se dispone de ejemplares capturados en la naturaleza. A algunas personas les fastidia su croar chillón; a otras, por el contrario, les gusta.

▲ *La rana verde de Carolina es una especie atractiva de color hierba flanqueada por una raya de color crema que la diferencia de otras.*

Rana ardilla o rana camaleónica

PERFIL

Rana rechoncha de brillante color verde con motitas pardas y redondas en su espalda y patas. A veces muda su color a verde oscuro o pardo. Su epidermis resulta un poco pedregosa al tacto. Sus hábitos son sobre todo arbóreos, aunque a veces excava galerías en la arena o en tierra para evitar la sequedad ambiental. Su nombre en inglés (rana ladradora) describe su croar, un ladrido fuerte y estridente como el de un perro.

Temperamento
Se adaptan bien a la vida en cautividad y se dejan ver, aunque se muestren más activas por la noche.

Habitáculo
Lo ideal es una jaula alta, de por lo menos 60 cm, que contenga

▶ *Rana ardilla, Hyla gratiosa.*

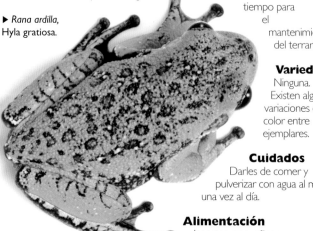

ramas robustas y una o dos plantas fuertes. El sustrato puede ser de tierra o sustituirse por turba, o de una mixtura de ambas con arena. Una zona de agua evitará que se deshidraten.

Condiciones ambientales
Una temperatura de 20-25 °C hará que se mantengan activas, aunque toleran temperaturas más bajas durante cortos períodos. A pesar de que evitan la sequedad enterrándose, la humedad será alta. Sólo se requiere iluminación si el terrario contiene plantas vivas.

Atención
De cinco a diez minutos al día, más el tiempo para el mantenimiento del terrario.

Variedades
Ninguna. Existen algunas variaciones de color entre ejemplares.

Cuidados
Darles de comer y pulverizar con agua al menos una vez al día.

Alimentación
Insectos pequeños como grillos, espolvoreados con un

Gastos			
G. instalación			
G. corrientes			

Tamaño: 5-6,5 cm.

Origen: Sureste de Estados Unidos.

Vida: Dato desconocido; 10 años por lo menos.

▲ *Esta rana arborícola rechoncha a veces se entierra para evitar la sequedad ambiental. Su croar se semeja a un ladrido agudo.*

suplemento de vitaminas y minerales en cada comida.

Reproducción
Casi nunca se ha intentado. Quizá se necesite un período previo de temperatura fría, seguido por otro más cálido y húmedo.

Inconvenientes
Sólo se encuentran a la venta ejemplares capturados en la naturaleza. Su croar estridente puede molestar a algunas personas.

Ranas arborícolas grises

PERFIL

Estas dos ranas arborícolas son de apariencia idéntica pero su croar es diferente. Son de color gris pálido, con manchas gris más oscuro o a veces verde grisáceo, librea que las camufla muy bien cuando descansan sobre ramas cubiertas de líquenes. Sin embargo, cuando se mueven, exponen la brillante piel naranja de los muslos. Pasan mucho tiempo en los árboles y casi nunca bajan al suelo, lo cual se debe tener muy en cuenta al preparar su terrario.

Temperamento

No son nerviosas y se adaptan bien a la vida en cautividad, aunque se dejan ver poco en virtud de su perfecto camuflaje

Habitáculo

Un terrario alto, de por lo menos 60 cm, con ramas (preferiblemente cubiertas de líquenes) para que descansen sobre ellas. Plantas epífitas como la barba de viejo o el musgo español, *Tillandsia usneoides*, son perfectas para este tipo de paisaje.

Condiciones ambientales

Una temperatura de 20-25 °C hará que se mantengan activas, aunque toleran temperaturas más bajas, de hasta 10 °C si fuera necesario. Es probable que la especie del sureste, *Hyla chrysoscelis*, tolere peor el frío que la *H. versicolor* (lo cual, desde luego,

no es de mucha ayuda si no sabes la especie que tienes). La humedad no es tan importante siempre y cuando no dejemos que se deshidraten por completo; soportan la sequedad si hibernan por alguna razón.

Atención

De cinco a diez minutos diarios.

Variedades

No existen variedades, aunque dos especies responden al nombre de ranas arborícolas grises. La *Hyla chrysoscelis* es conocida como la ranita gris del sur, y la *Hyla versicolor* es la rana gris del este. A menos que conozcas su procedencia, es imposible estar seguro de su identidad.

Cuidados

Darles de comer a diario y pulverizar con agua ocasionalmente.

Alimentación

Pequeños insectos como grillos

Gastos				
G. instalación				
G. corrientes				

Tamaño: 5-6,5 cm.

Origen: Este de América del Norte.

Vida: Dato desconocido, probablemente 10 años o más.

▲ *Suele haber ranas arborícolas grises en venta y son buenas mascotas para terrarios naturales adornados con plantas.*

y mezclas de insectos diminutos capturados en la naturaleza.

Reproducción

Casi nunca se ha intentado.

Inconvenientes

No hay ejemplares –o hay muy pocos– a la venta criados en cautividad.

Rana platanera de Cuba

▲ ▼ *Especie de gran tamaño, es de librea variable y muy adaptable; fácil de cuidar en un terrario grande.*

PERFIL

Esta rana arborícola suele ser de color pardo o canela, aunque a veces es de un verde o beige muy pálido. Las hembras crecen mucho y engullirán casi cualquier cosa que les quepa en la boca, incluso ranas más pequeñas, por lo cual esta especie se debe mantener apartada de otras ranas arborícolas. Se ha introducido accidentalmente en Florida, donde ha prosperado y ahora es muy corriente. Su adaptabilidad es grande y vive en toda suerte de condiciones.

Temperamento

Se adaptan bien a la vida en cautividad, aunque son de hábitos nocturnos: se esconden durante el día y salen a comer por la noche.

Habitáculo

Se requieren jaulas grandes de al menos 60 × 60 × 60 cm para una pareja o un grupo reducido. El sustrato puede ser de fibra de coco o de hojas caídas, y se necesitan ramas y plantas de hojas anchas para que tengan donde esconderse. Puede haber un recipiente grande con agua.

Condiciones ambientales

Una temperatura de 23-28 °C es ideal, pero toleran fácilmente temperaturas mucho más bajas durante períodos cortos. Pulverizar a diario con agua aumentará la humedad, aunque también aguantan un ambiente seco durante cortos períodos.

Atención

De cinco a diez minutos al día.

Variedades

Ninguna, aunque los ejemplares de esta especie varían de color.

Cuidados

Hay que pulverizar con agua a diario y darles de comer tres o cuatro veces por semana.

Alimentación

Insectos grandes como grillos, larvas del lepidóptero *Pyralidae* y cucarachas, espolvoreadas con un suplemento de vitaminas y minerales

Reproducción

Pocas veces en cautividad, aunque no están claras las razones; quizá se consideran demasiado corrientes como para plantearse el esfuerzo.

Inconvenientes

Ninguno, aunque deben estar separadas de otros anfibios pequeños.

Gastos				
G. instalación				
G. corrientes				

Tamaño: 8-12 cm; las hembras, más grandes que los machos.

Origen: Antillas, incluida Cuba y Florida. Ahora se está extendiendo por Georgia.

Vida: Dato desconocido, pero al menos 10 años.

Trachycephalus resinifictrix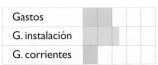

Rana lechera amazónica

PERFIL

También conocida como rana payaso, presenta en la librea bandas transversales de color blanquecino o gris muy pálido sobre un fondo pardo o verdoso. Los ejemplares jóvenes lucen unas marcas más llamativas, y las bandas tienden a desfigurarse en manchas. Esta coloración brillante avisa a los predadores que su piel secreta una sustancia venenosa y lechosa; de ahí su nombre. Vive y se reproduce en huecos abiertos en los enormes árboles tropicales.

Temperamento
Adaptables y tranquilas, sus hábitos son nocturnos, aunque a veces se muestran activas al atardecer.

Habitáculo
Un terrario de al menos 30 × 45 × 60 cm de altura es adecuado para una pareja o tres ranas. El sustrato puede ser de fibra de coco, un lecho de

hojas caídas o una mezcla de ambos. Debe haber un recipiente con agua y vegetación con ramas firmes —plantas vivas o artificiales— para descansar o esconderse.

Condiciones ambientales
Tropicales. Se requiere una temperatura diurna de 23-28 °C, pero puede caer hasta 20 °C por la noche. Se debe mantener una humedad elevada y una buena ventilación.

Atención
De cinco a diez minutos diarios.

Variedades
Ninguna.

Cuidados
Darles de comer y pulverizarlas con agua con regularidad.

Gastos			
G. instalación			
G. corrientes			

Tamaño: 6-10 cm; hembras más grandes que los machos.

Origen: Cuenca del Amazonas

Vida: Probablemente 10 años o más.

▲ Es tranquila y se manipula con facilidad, aunque no es una mascota adecuada para niños.

Alimentación
Insectos como grillos, espolvoreados con un suplemento de vitaminas y minerales.

Reproducción
Se crían en cautividad pero en condiciones especiales. Se necesita un régimen de sequedad, seguido por un período en la cámara de

lluvia, y deberá haber un contenedor con un pequeño agujero de entrada y unos pocos centímetros de agua para simular los agujeros de los árboles en que se reproducen en la naturaleza.

Inconvenientes
Ninguno. Las secreciones lechosas de los ejemplares salvajes son venenosas y hay que adoptar precauciones tras manipularlas.

▲ La rana lechera amazónica es una especie llamativa que se reproduce con facilidad en cautividad con las condiciones adecuadas.

Rana arborícola

PERFIL

Esta rana puebla los bosques húmedos tropicales, sobre todo los de América Central. De brillante piel verde y de una belleza sorprendente, luce trazas de color azul y crema en los flancos, así como unos brillantes y enormes ojos rojos. Existe cierta variación geográfica en los colores y patrones cromáticos de sus flancos y muslos. Es bastante grande, con patas largas y finas y unas ventosas grandes y pegajosas en las puntas de los dedos. Se camufla bien de día cuando descansa sobre las hojas, y sus ojos presentan un párpado secundario con un patrón intrincado de filigrana dorada. Vive en el follaje y desciende sólo para reproducirse. Como las ranas hoja, deposita los huevos en las hojas que penden sobre los charcos del bosque. Cuando eclosionan los renacuajos, bajan reptando por la hoja y caen en el agua situada debajo. Los adultos son malos nadadores y se pueden ahogar si quedan

atrapados en aguas profundas. Pertenece a una familia que incluye muchas otras especies de ranas arborícolas, las hílidas, pero se sitúa en una subfamilia diferenciada, las filomedusinas. Tienen requisitos especiales en cautividad, al ser grandes y arborícolas. Sin embargo, son muchos sus seguidores y, aunque la reproducción de algunas especies es difícil, a veces hay a la venta ejemplares jóvenes criados en cautividad.

Temperamento

Son muy tranquilas y tardas de movimientos, y se revelan activas sólo por la noche.

Habitáculo

Se precisan terrarios muy grandes y altos,

que midan por lo menos 60 cm de altura. Con un área superficial de 60 × 45 cm son adecuados para un grupo de tres o cuatro adultos. Se tiene que dotar de plantas de interior de hojas grandes y recias, como especímenes de filodendro y calas. Las ranas pasan el día sobre una hoja ancha o en los laterales del terrario, y se vuelven activas al atardecer. El sustrato será de hojas caídas, tierra o cáscara de coco, bien comprimido. Como alternativa, el suelo puede estar limpio y meterse en el terrario.

▲ *La rana deslizadora es un pariente cercano, pero no habitual en cautividad.*

◄ *La rana arborícola de ojos rojos es tal vez la especie más espectacular de todas.*

de ojos rojos

plantas en floreros. Las ranas jóvenes no necesitan terrarios tan grandes, y el suelo se cubrirá al principio con toallas de papel, para que vean la comida con facilidad.

Condiciones ambientales

Tropicales. La temperatura debe situarse entre 23 y 28 °C durante el día, pero puede caer hasta 20 °C por la noche. Se requiere una humedad elevada, que se consigue en jaulas grandes con sistemas automáticos de nebulización.

Atención

Unos 15 minutos diarios para darle de comer, pulverizar con agua el terrario y atender su mantenimiento general. Se necesita más tiempo, hasta un día entero o más, para el repaso general de un terrario completo, según la complejidad del paisaje.

Variedades

Ninguna, aparte de las variaciones regionales. Otras especies afines a veces a la venta son la rana deslizadora, *Agalychnis spurrelli*, y varios miembros del género filomedusa, como la rana lémur de flancos rojos, *P. hypochondrialis*.

Cuidados

Darle de comer cada uno o dos días, y pulverizar con agua a diario (si no hay instalado un sistema automático). Los ejemplares jóvenes deben comer cada día.

Gastos			
G. instalación			
G. corrientes			

Tamaño: 5-6 cm; las hembras más grandes que los machos.

Origen: América Central, desde el sur de México hasta Colombia.

Vida: Al menos 10 años en cautividad.

◄ *Rana lémur de flancos rojos, P. hypochondrialis, originaria de América del Sur.*

Alimentación

Insectos como grillos y larvas del lepidóptero *Pyralidae*, espolvoreados con un suplemento de vitaminas y minerales. Le gustan sobre todo los insectos voladores, como moscas y polillas, y las arañas.

Reproducción

La reproducción requiere una «cámara de lluvia» especial con un sistema que contenga una bomba y una barra de aspersión programable una hora dos veces al día. El agua desaguará en un depósito que contenga la bomba, donde volverá a circular.

La finalidad de las plantas grandes con maceta en la cámara es que depositen los huevos en ellas.

Inconvenientes

Es una especie delicada con la temperatura; por lo demás, no causa problemas si se trata de ejemplares criados en cautividad.

Rana mono encerada

PERFIL

Ésta es una rana arborícola con una particularidad. Procedente de la árida región del Chaco, en América del Sur, se protege de la deshidratación cubriendo su cuerpo con una secreción parecida a la cera que extiende por la piel usando las patas traseras. Es de color verde con una banda longitudinal blanca definida en sus flancos y otras en su vientre. De hábitos arbóreos, como otras especies, pone sus huevos sobre hojas que penden encima del agua.

Temperamento
Es muy tranquila y adaptable. Sus hábitos son nocturnos

Habitáculo
Un terrario alto de al menos 60 cm de altura y con un área superficial de 45 × 45 cm es el espacio mínimo para una pareja o un grupo reducido de ejemplares jóvenes. Se necesita un sustrato de cáscara de coco, corteza de orquídeas o un lecho de hojas caídas, así como varias ramas fornidas y una planta viva o artificial para que se suban.

Condiciones ambientales
Se requiere una temperatura diurna de 20-25 °C que se puede complementar durante parte del día con un foco de luz para aportar un solario de hasta 30 °C en la parte superior del terrario. La humedad es importante, aunque prefiere más sequedad que otras ranas arborícolas. No hay que dejar que el sustrato se seque del todo. La ventilación es muy importante.

Atención
De cinco a diez minutos al día.

Variedades
No hay más variedades de esta especie que la rana mono grande, *Phyllomedusa bicolor*, parecida pero más grande, aunque su hábitat natural es mucho más húmedo.

Cuidados
Darles de comer cada dos o tres días y pulverizar con agua a veces.

Gastos			
G. instalación			
G. corrientes			

Tamaño: 5-7 cm; las hembras más grandes que los machos.

Origen: Norte de Argentina y Paraguay, este de Bolivia y sur de Brasil.

Vida: Dato desconocido, 10 años o más probablemente.

▲ Estas ranas toleran un ambiente seco.

Alimentación
Insectos como grillos y moscas, espolvoreados con un suplemento de vitaminas y minerales.

Reproducción
Difícil. Necesitan un período largo de sequedad, seguido por otro en la cámara de lluvia.

Inconvenientes
Es difícil encontrar ejemplares jóvenes criados en cautividad y, por tanto, son caros.

▲ Los andares de esta rana son característicamente lentos y deliberados.

Lepidobatrachus laevis

Rana de Budgett

PERFIL

La rana de Budgett está relacionada con los escuerzos, *Ceratophrys*, y su constitución física es similar: un cuerpo rechoncho, cabeza ancha y boca grande. No obstante, carecen de cuernos y su piel es muy lisa. Los ojos se sitúan encima de la cabeza y se orientan hacia arriba para poder mirar fuera del agua aunque la rana esté parcialmente sumergida. Su librea es gris con una red de líneas de color naranja o canela en la espalda. Esta especie vive en charcas estacionales en una región con época de sequía; si la charca se seca, se entierra y forma un capullo a su alrededor que impide que se deshidrate. Vuelve a la superficie sólo cuando las lluvias llenan de nuevo la charca.

Temperamento

Suelen ser muy tranquilas pero a veces se muestran agresivas. Algunos ejemplares muerden.

Habitáculo

Se necesita un terrario semiacuático. Uno que mida 30 × 60 × 60 cm es adecuado para un ejemplar adulto, y el área terrestre contendrá un sustrato profundo de esfagno o fibra de coco. El área de agua no necesita ningún sustrato y será de fácil limpieza.

Condiciones ambientales

Una temperatura de 20-25 °C es ideal, pero también toleran temperaturas más altas o bajas durante cortos períodos.

Atención

De cinco a diez minutos al día.

Variedades

No existen variedades, aunque hay otras dos especies del género, que pocas veces se ven en cautividad.

Cuidados

Hay que darles de comer una o dos veces por semana, y cambiar el agua total o parcialmente siempre que parezca sucia.

Alimentación

Insectos grandes como grillos y langostas, y lombrices. Todas las comidas, espolvoreadas con un complemento de vitaminas y minerales. Algunas comen ratones pequeños que hay que descongelar por completo, y se les ofrecerán con unas pinzas.

Reproducción

La reproducción es muy difícil sin la ayuda de hormonas.

Inconvenientes

Suelen ser excelentes mascotas, aunque algunas muerden.

Gastos			
G. instalación			
G. corrientes			

Tamaño: 8-11 cm; las hembras más grandes que los machos.

Origen: América del Sur.

Vida: Dato desconocido, pero al menos 5 años.

◀ *¡Las ranas de Budgett tienen una boca gigantesca!*

Litoria caerulea

Rana verde australiana

Esta especie australiana es una de las ranas arborícolas más rollizas, característica que le ha valido el mote de rana chaparra. Despliega unas patas cortas y rechonchas con grandes ventosas adherentes en la punta de los dedos. Como otras ranas arborícolas de Australia, sus pupilas son horizontales: las ranas arborícolas de otras partes del mundo las tienen verticales. Muestran un pliegue elongado y carnoso detrás de los ojos que a veces crece en demasía en los ejemplares mayores y llega a cubrir parcialmente el borde superior de los tímpanos. Su color natural es verde brillante, aunque muchos ejemplares criados en cautiverio son de color verde azulado o incluso azul grisáceo, y cambian de color en cierto grado. Su piel secreta una sustancia semejante a la cera para no deshidratarse cuando hace mucho calor. De hábitos nocturnos, descansan por el día con las extremidades recogidas bajo el cuerpo.

▲ *Las ranas de labios blancos,* Litoria infrafrenata, *proceden de la misma parte del hemisferio sur que las ranas verdes australianas. Si bien son de gran tamaño, su constitución no es tan fornida.*

Es una especie muy adaptable que a menudo se encuentra en casas y cobertizos de Australia, así como en huecos en los árboles y otros entornos naturales. Su gran capacidad de adaptación a la vida en cautividad y su «personalidad» la han convertido en una mascota muy popular. Se crían bastantes en cautividad y a menudo hay a la venta ejemplares jóvenes a un precio razonable. Crecen con rapidez y su mantenimiento es sencillo.

Temperamento

Sus movimientos son lentos y deliberados. Parece que toleran mejor la manipulación que muchas otras ranas. Son de naturaleza nocturna pero se muestran activas de día si hay comida disponible.

Habitáculo

Un terrario grande de por lo menos 60 cm de altura, con un área superficial de 60 × 45 cm, es adecuado para un grupo de tres o cuatro adultos. El sustrato se crea con hojas caídas o cáscara de coco, y se necesitan ramas y hojas grandes y robustas para que descansen, preferiblemente en lo alto del terrario. Un recipiente pequeño con agua impedirá que se deshidraten.

Condiciones ambientales

Calor y sequedad relativa. Durante el día, la

◄ *Rana verde australiana,* Litoria caerulea.

▶ *Presenta ventosas adherentes en los dedos; los ejemplares jóvenes trepan más que los adultos, que a veces pesan mucho.*

temperatura ambiente será de 20-30 °C, y la humedad, relativamente baja. No obstante, el sustrato no debe secarse por completo, y la ventilación es muy importante.

Atención

De cinco a diez minutos al día.

Variedades

No tiene más variedades que la rana de labios blancos, *Litoria infrafrenata*, muy parecida y que a veces se puede adquirir en tiendas. No es tan apacible como la rana verde australiana, y necesita un terrario grande con mucha vegetación porque puede hacerse daño en el hocico al saltar y chocar contra las paredes de cristal.

Cuidados

Hay que alimentarlas a diario. Los adultos grandes llegan a veces a la obesidad, así que las comidas se reducirán a una o dos por semana hasta que recuperen el peso normal. Se puede pulverizar agua cada día, aunque la atmósfera del terrario debería secarse antes de la siguiente vaporización. El sustrato debe retener la humedad y habrá siempre un recipiente pequeño con agua.

Alimentación

Insectos, como grillos, en grandes cantidades. Son voraces y se comen casi todo lo que atrapan. Las comidas se espolvorearán con un suplemento de vitaminas y minerales.

Reproducción

Crían con regularidad pero algunas camadas se debilitan genéticamente; tal vez necesiten aparearse con otras ranas. Precisan un período de sequedad creciente, seguido por otro en la cámara de lluvia. Las hembras ponen hasta 500 huevos y los renacuajos son fáciles de criar.

▼ *Ésta es una de las mejores ranas arborícolas para neófitos, porque tolera distintas condiciones.*

Gastos					
G. instalación					
G. corrientes					

Tamaño: 6-11 cm; las hembras más grandes que los machos.

Origen: Mitad septentrional de Australia y partes de Nueva Guinea. Se ha introducido en Nueva Zelanda.

Vida: 10 años o más; el récord es 21 años.

Inconvenientes

Ninguno, salvo la debilidad genética y la mengua del colorido de las que se crían en cautividad; deberían ser de un brillante color verde, y a menudo son de un apagado gris azulado. Pocas veces hay a la venta ejemplares criados en plena naturaleza, porque su distribución geográfica se confina a Australia, país que no permite la exportación de animales salvajes.

Escuerzos o ranas cornudas de América

PERFIL

Los escuerzos o ranas cornudas se han convertido en unas de las ranas mascotas más populares debido a su «personalidad», a la facilidad de sus cuidados y a su atractivo colorido. También se las conoce como ranas pacman. Hay varias especies, de las cuales las más fáciles de encontrar son el escuerzo común, *Ceratophrys ornata*, y el escuerzo de Cranwell, también llamado escuerzo del Chaco (*Ceratophrys cranwelli*). La confusión se extiende porque en algunas publicaciones el escuerzo común se identifica con *Ceratophrys cranwelli*. Otros tienen un linaje incierto, como el escuerzo de «fantasía», el cual, en apariencia, es un híbrido del *Ceratophrys cranwelli* y otras especies, como el escuerzo de Surinam, *Ceratophrys cornuta*. Por suerte, los cuidados de todas estas especies y variedades en circulación por el mercado de mascotas son similares. Los cuernos que los caracterizan sólo están presentes en algunas especies, y varían de tamaño.

▲ *Todos los escuerzos americanos son excavadores naturales, modo en que se emboscan para cazar.*

Temperamento

Los escuerzos se adaptan bien a la vida en cautividad con unas condiciones adecuadas, por lo que han alcanzado gran popularidad.

Habitáculo

La anchura de los escuerzos equivale a veces a su longitud, y la amplitud de la boca se extiende de un lado a otro de la cabeza. Machos y hembras tienen grosso modo el mismo tamaño. Se conservan en terrarios individuales, porque intentarán engullir a otras criaturas tan grandes como ellas, incluidos otros ejemplares de su misma especie. La conveniencia de los terrarios depende mucho de las dimensiones del anuro. Los ejemplares jóvenes sólo necesitan una superficie de unos 20 × 40 cm, aunque pronto rebasarán ese espacio y terminarán necesitando un terrario de al menos 30 × 60 cm. La altura no es importante porque no trepan, aunque deberá estar cubierto para evitar que entren otras mascotas. Como son una especie excavadora, necesitan un sustrato adecuado, como esfagno, fibra de coco o un lecho de hojas caídas. La gravilla y los trozos de corteza no son apropiados y sin duda causarán problemas, porque las ranas los engullirán accidentalmente al alimentarse. El sustrato puede estar húmedo, pero no mojado, con profundidad suficiente para que excave galerías y se entierre por completo hasta quedar oculto. Unos trozos de corteza le permitirán esconderse y ayudarán a mantener la humedad. Un recipiente con agua es útil para ofrecer humedad concentrada.

◀ *Los ejemplares jóvenes tienen el tamaño y la forma de una pelota de golf, pero crecen con rapidez gracias a su prodigioso apetito.*

Gastos		
G. instalación		
G. corrientes		

Tamaño: El escuerzo común alcanza 12 cm; otras especies son un poco más pequeñas.

Origen: América del Sur.

Vida: Muchos años, probablemente hasta 10.

▲ ▶ *Los adultos grandes tienden a ensancharse y crecen hasta ser tan anchos como largos. Las patas son pequeñas, pero no tienen necesidad de moverse con rapidez.*

Condiciones ambientales
Tropicales. 25 °C por el día y 20 °C por la noche es lo ideal, aunque toleran más frío si gozan de buena salud. La ventilación tiene que ser buena.

Atención
De cinco a diez minutos diarios.

Variedades
Hay muchos tipos, como las especies e híbridos citados antes, así como albinos y de otros colores.

Cuidados
Pulverizar con agua a diario y atender su mantenimiento general. Sólo hay que alimentarlos cada dos días si son jóvenes, y semanalmente si son adultos.

Alimentación
Los jóvenes comen insectos como grillos y cucarachas, que se espolvorearán con suplementos de vitaminas y minerales. Los adultos, insectos mucho más grandes, como lombrices, larvas del lepidóptero *Pyralidae* y langostas. Algunos comen ratones muertos descongelados, aunque se les darán sólo a veces.

Reproducción
Difícil. Los criadores que venden crías siempre usan inyecciones de hormonas para condicionar a los ejemplares adultos y obtener freza. Precisan un período de sequedad creciente, seguido por otro en la cámara de lluvia, para estimularlos a reproducirse. Hay que tener cuidado al poner en contacto al macho y la hembra.

Inconvenientes
Algunas camadas criadas en cautividad muestran debilidad genética, sobre todo mengua del colorido, a menudo por razones de endogamia. Aunque la mayoría tolerará cierta manipulación, algunos muerden, lo cual no es agradable, por sus poderosas mandíbulas; no hay que mostrar los dedos porque podrían confundirlos con comida.

Sapo común africano

PERFIL

Sapo de proporciones notables
y con la piel más suave que muchas
especies afines. Su librea es, por lo
general, gris, parda u olivácea, con
gran profusión de manchas grandes,
oscuras y regulares en la espalda,
dispuestas simétricamente a ambos
lados de una pálida franja vertebral.
Hay mucha variación en el color y las
manchas, y algunos sapos con este
nombre son en realidad de especies
diferentes. Vive en diversos hábitats,
como oasis de desiertos, praderas y
bosques. Como abunda en ciudades
y poblados, de ahí su nombre.

Temperamento
Aunque sus hábitos son nocturnos,
aprenderá a comer al atardecer.
Temperamento muy plácido e
interactúa cuando lo estimulamos.

Habitáculo
Un terrario con una superficie de
60 × 45 cm es lo mínimo
para uno o dos adultos,
aunque es mejor que
sea más grande. El
sustrato puede
ser de fibra
de

coco o un lecho de hojas muertas
o de hojas mezcladas con arena.
Debe tener varios centímetros de
profundidad y estar un poco
húmedo en las zonas donde se
depositen trozos planos de corteza
o lajas en la superficie.

Condiciones ambientales
Necesita condiciones tropicales:
una temperatura de 23-28 °C al
menos durante una parte del día,
aunque el ambiente puede ser más
fresco por la noche. El terrario no
tendrá demasiada humedad, tan
sólo algunas áreas localizadas de
sustrato húmedo y, tal vez, un
recipiente pequeño con agua.

Atención
De cinco a diez minutos al día.

Gastos			
G. instalación			
G. corrientes			

Tamaño: 9-12 cm; las hembras
más grandes que los machos.

Origen: Este y centro
de África.

Vida: Varios años, aunque se
carece de información exacta..

Variedades
Ninguna, aunque hay varias
especies similares.

Cuidados
Darle de comer a diario y pulverizar
un poco el terrario con agua.

Alimentación
Insectos pequeños
como grillos. Se le
darán insectos
capturados en libertad
para variar la dieta.

Reproducción
No se cría en cautividad.

Inconvenientes
Ninguno, excepto la falta de
ejemplares criados en
cautividad.

◄ *La librea de este
ejemplar es más clara
que la de otros, y la
especie en sí muestra
mucha variabilidad en
colorido y manchas.*

Anaxyrus cognatus

Sapo de la pradera

PERFIL

Es un sapo grande, rechoncho, de color pardo claro, gris u oliváceo cuyo nombre científico previo fue *Bufo cognatus*. Su librea se compone de grandes manchas de coloración más oscura dispuestas a ambos lados de una franja central pálida, y presenta dos glándulas venenosas alargadas encima de los ojos. Vive en los pastizales secos de las praderas americanas y se reproduce en charcas estacionales, acequias y campos inundados después de las fuertes lluvias de verano.

Temperamento
Complaciente y adaptable. De hábitos nocturnos, a veces sale al atardecer para alimentarse.

Habitáculo
Necesita un terrario con una superficie de al menos 60 × 45 cm para uno o dos adultos, pero es mejor que sea mayor. El sustrato puede ser de hojas caídas o fibra de coco mezcladas con arena. Tendrá varios centímetros de profundidad y deberá estar un poco húmedo en algunos puntos pulverizando ocasionalmente con agua, así como con trozos planos de corteza y lajas en la superficie.

Condiciones ambientales
Se muestra activo cuando la temperatura oscila entre 15 y 23 °C, e hiberna largos períodos en su territorio, por lo que tolera temperaturas más bajas si está bien alimentado y con buena salud.

▲ *De hábitos casi totalmente terrestres, vive debajo de rocas y troncos.*

Atención
De cinco a diez minutos al día.

Variedades
Ninguna. Otros sapos de la región requieren cuidados y condiciones similares.

Cuidados
Darle de comer a diario y pulverizar un poco con agua el terrario.

Alimentación
Insectos como grillos. Comerá variedad de insectos atrapados en el exterior; también cochinillas.

Reproducción
Es probable que no se haya conseguido la cría en cautividad.

Inconvenientes
Ninguno, excepto la falta de ejemplares criados en cautividad.

Gastos			
G. instalación			
G. corrientes			

Tamaño: 5-11 cm.

Origen: Praderas centrales de América del Norte, desde Canadá hasta México.

Vida: Muchos años; se carece de información exacta.

▲ *Los sapos de la pradera son robustos, tranquilos y de atractiva librea.*

Anaxyrus debilis

Sapo verde americano

Este pequeño y elegante sapo, de cuerpo achatado y librea de manchas negras sobre un fondo verde o verde amarillento, vive en regiones secas del sur y suroeste de América, en el monte bajo y los pastizales secos, siempre que haya un suelo arenoso donde enterrarse. La mayor parte del año la pasa bajo tierra, y sale a la superficie tras las fuertes lluvias para aparearse en las charcas estacionales y las llanuras inundadas del desierto.

Temperamento

Es un sapo vivaz que no siempre se adapta a la vida en cautividad, sobre todo a largo plazo.

Habitáculo

Un terrario con un área superficial de al menos 60 × 45 cm para dos ejemplares adultos. La altura no es importante, pero sí deberá estar techado. El sustrato debe ser un suelo arenoso bastante suelto como para que se pueda enterrar por completo. Unas rocas lisas y un recipiente con agua mantendrán partes del sustrato húmedas.

Condiciones ambientales

Lo ideal es una temperatura de 20-25 °C, pero también tolera temperaturas más bajas. El sustrato debe estar casi seco: sólo el lecho inferior retendrá algo de humedad. Pulverizar ocasionalmente con agua al atardecer favorecerá que estos sapos se muestren activos; de lo contrario, suelen enterrarse y pasar ocultos largos períodos.

Gastos			
G. instalación			
G. corrientes			

Tamaño: 4-8 cm.

Origen: Sur y suroeste de América del Norte, incluido México.

Vida: Dato desconocido.

▲ *Este sapo vive en áreas desérticas y semidesérticas.*

▶ *Una de las especies de mayor colorido de su familia.*

Atención

De cinco a diez minutos al día.

Variedades

Ninguna. El sapo verde de Sonora es de un colorido similar, pero más voluminoso y difícil de encontrar.

Cuidados

Darle de comer a diario, al atardecer, y pulverizar el terrario.

Alimentación

Insectos como grillos y cucarachas pequeñas.

Reproducción

La cría en cautividad probablemente no se haya conseguido. Necesitan un período largo de sequedad, seguido por varios días en una cámara de lluvia.

Inconvenientes

Es una especie difícil de acomodar y la falta de ejemplares jóvenes criados en cautividad complica más las cosas, excepto para los herpetólogos con más experiencia.

Melanophryniscus stelzneri

Sapito de colores o sapo de panza roja

PERFIL

Estos sapitos menudos, de sorprendente colorido, proceden de la mitad meridional de América del Sur, donde viven en los pastizales secos. Su librea es una superficie dorsal de color negro mate con pintas amarillas, que contrasta con el vientre, el cual presenta áreas de color rojo en su porción posterior y en las palmas de las manos y los pies. Ésta es la coloración de advertencia sobre la naturaleza venenosa de sus secreciones cutáneas, aunque no son peligrosos para los seres humanos siempre y cuando se adopten las precauciones normales.

Temperamento
Son de hábitos diurnos y muy activos. Es mejor conservarlos en grupos reducidos para poder observar su conducta característica.

Habitáculo
Basta con un terrario pequeño; uno que mida 45 × 30 × 30 cm es adecuado para entre cuatro y seis sapitos. La altura es menos importante que el área superficial, porque no son buenos trepadores, si bien es esencial que esté techado. Un sustrato de fibra de coco compacta o un lecho de pedacitos de hojas caídas es ideal, con trocitos de madera o corteza esparcidos encima para establecer diversos microhábitats. Puede crecer musgo y helechos en el sustrato o en macetitas, y el terrario debería incluir un plato con no más de 2 cm de agua.

Condiciones ambientales
Lo ideal es una temperatura de 20-25 °C, pero las toleran más bajas, hasta 7 °C. La humedad será baja, pero el sustrato debe estar un poco húmedo.

Atención
Diez minutos diarios.

Variedades
Ninguna, pero hay otras especies de *Melanophrynscus*, todas de aspecto similar.

Gastos			
G. instalación			
G. corrientes			

Tamaño: 2,5-3,5 cm; las hembras más grandes que los machos.

Origen: América del Sur.

Vida: Dato desconocido, probablemente varios años.

Cuidados
Darles de comer a diario y pulverizar ligeramente el terrario.

Alimentación
Insectos pequeños como grillos recién eclosionados, moscas de la fruta, larvas pequeñas del lepidóptero *Pyralidae*. Tiene un gran apetito.

Reproducción
Se han criado en cautividad: las hembras requieren un período corto de frío para inducir el celo y hay que darles comidas copiosas. La crianza de los minúsculos renacuajos es complicada.

Inconvenientes
Pocas veces hay a la venta ejemplares jóvenes criados en cautividad.

◀ *No extraña nada que este anuro reciba en inglés el nombre de sapo abejorro. También se le ha llamado en inglés sapito andante, porque rara vez da saltos.*

Rhinella marinus

Sapo marino o sapo de la caña

PERFIL

Es uno de los sapos más voluminosos, originario de América del Sur y Central, pero por desgracia introducido en Australia, donde se ha ganado el ominoso nombre de sapo de la caña. Su librea suele ser parda, a veces con manchas más oscuras en la espalda, y con el vientre de un tono más pálido. Es una especie con una capacidad de adaptación increíble que ocupa toda suerte de hábitats, desde bosques tropicales hasta paisajes áridos, aunque le atraen sobre todo las poblaciones humanas, donde a menudo acecha al pie de una farola a que los insectos sean atraídos por la luz. También es uno de los pocos anfibios que come presas inmóviles, y que incluso roba la comida de los perros que queda en su recipiente.

Temperamento
Plácido.

Habitáculo
Un terrario grande que mida al menos 100 × 45 × 45 cm es apropiado para uno o dos ejemplares adultos. El sustrato será de tierra, hojas caídas, fibra de coco o una mezcla de éstos. Debe tener algún escondrijo, como una cueva de piedras o una maceta, así como con un recipiente con agua.

Condiciones ambientales
Una temperatura de 20-25 °C es ideal, aunque las tolera más altas o bajas durante cortos períodos. La humedad no será muy elevada; hay que pulverizar un poco el terrario todos los días, y se necesita buena ventilación para conseguir unas condiciones adecuadas.

Atención
De cinco a diez minutos diarios.

Variedades
Ninguna. Una especie parecida, el sapo rococó, *Rhinella podocnemis*, estuvo en las tiendas en el pasado.

Cuidados
Pulverizar con agua todos los días, y darle de comer según requiera.

Alimentación
Insectos grandes como langostas y cucarachas. Algunos ejemplares aprenden a comer alimento para perros, pero no deben alimentarse de pienso exclusivamente.

Gastos				
G. instalación				
G. corrientes				

Tamaño: 10-22 cm; las hembras son mucho más grandes.

Origen: América del Sur y Central.

Vida: Al menos 25 años.

Reproducción
Pocas veces o nunca se ha criado en cautividad.

Inconvenientes
Ninguno. Aunque no sean los sapos más atractivos, tienen sus adeptos. El veneno que a veces secretan sus glándulas es potencialmente peligroso.

▲ *Se protege con grandes glándulas venenosas que cubren casi todo el cuerpo y las patas.*

Dendrobates auratus

Rana flecha verdinegra

PERFIL

Pequeña, atractiva y relativamente robusta, esta rana adopta diversos colores y formas. Ejemplos típicos son el verde metálico con manchas y lunares pardos o cobrizos, aunque también hay ejemplares con manchas azules y pardas, así como otros en los que el color dominante es el marrón y las áreas verdes se restringen a pequeñas manchitas.

Temperamento

Se mantiene activa durante el día y luego despliega una actitud atrevida y se muestra sin miedo.

Habitáculo

Un terrario alto de 60 × 60 × 60 cm es el tamaño mínimo para un grupo reducido. Necesitan ramas para trepar y plantas, sobre todo bromelias, donde esconderse y alimentarse. Un curso de agua artificial o un sistema automático de vaporización aportarán la humedad correcta. El terrario deberá estar bien ventilado.

Condiciones ambientales

Las ranas tropicales necesitan una temperatura de 20-27 °C y una humedad elevada.

Atención

De diez a treinta minutos al día. Mucho más tiempo cuando haya que repasar un terrario grande.

Variedades

Se conocen muchas variedades endémicas, algunas de áreas muy pequeñas, en cuyo nombre aparece el lugar donde se hallaron por vez primera. La librea negra y verde es la más habitual, y la mejor elección para neófitos.

Cuidados

Debe comer una o dos veces al día y se pulverizará con agua el terrario con regularidad.

Alimentación

Pequeños insectos, sobre todo moscas de la fruta y grillos recién eclosionados, en grandes cantidades. Todas las comidas se espolvorearán con un suplemento de vitaminas y minerales.

Reproducción

Es una de las ranas flecha más fáciles de cuidar y criar en

Gastos			
G. instalación			
G. corrientes			

Tamaño: 2,5-4,2 cm, según su origen: algunos ejemplares son más grandes que otros.

Origen: América Central. Se ha introducido en Hawái.

Vida: 10 años o más.

▲ *Algunas variedades endémicas exhiben manchas pardas o cobrizas.*

cautividad, si bien su reproducción exige conocimientos especiales y tiempo, ya que los renacuajos deben acomodarse en un habitáculo separado.

Inconvenientes

Si se le dedica tiempo y tiene alimento suficiente, es muy fácil de cuidar. Es frecuente encontrar a la venta ejemplares jóvenes criados en cautividad.

▲ *Ésta es una especie muy vistosa y popular de rana flecha. Su piel tiene un aspecto metálico.*

Dendrobates leucomelas

Sapito minero

PERFIL

Esta rana flecha rechoncha presenta una librea característica de bandas transversales e irregulares de un brillante amarillo-naranja sobre un fondo negro intenso. La textura de la piel posee una granulación fina, como una naranja. En los ejemplares jóvenes, las bandas son anchas, pero predominan las manchas negras al crecer. Especie vivaz y activa, mucho más resistente que otras ranas flecha, es originaria de los bosques tropicales septentrionales de América del Sur.

Temperamento
Dóciles y vivaces, es una de las especies menos venenosas, aunque siempre hay que adoptar precauciones tras manipularlos.

Habitáculo
Un terrario alto y espacioso, que mida como mínimo 60 × 60 × 60 cm, es ideal para un grupo reducido.

▲ *Activas durante el día, todas las ranas flecha trepan bien, aunque también pasan tiempo buscando comida en el suelo.*

Debe contener vegetación profusa, con muchas ramas para trepar, y plantas, sobre todo bromelias. Un «riachuelo», o bien un sistema automático de vaporización, aportará la humedad requerida.

Condiciones ambientales
Tropicales. Una temperatura de 20-27 °C y una humedad elevada.

Atención
30 minutos al día.

Variedades
Ninguna. No hay subespecies ni especies parecidas, aunque varían el dibujo y la cantidad de manchas negras.

Cuidados
Deben comer a diario, mejor dos

◄ *La vistosa librea de este sapito es una de las más fáciles de diferenciar.*

Gastos			
G. instalación			
G. corrientes			

Tamaño: 3-5 cm.

Origen: Área septentrional de América del Sur (Venezuela y sus países limítrofes).

Vida: Dato desconocido, probablemente 5-10 años.

veces, y hay que pulverizar con agua con frecuencia.

Alimentación
Insectos pequeños en grandes cantidades, sobre todo moscas de la fruta y grillos recién eclosionados, espolvoreados con un suplemento de vitaminas y minerales.

Reproducción
Es una de las ranas flecha que se reproducen con más facilidad en cautividad, si bien el proceso lleva tiempo. Los huevos se depositan en tierra y son trasladados al agua por uno de los progenitores. Los renacuajos despliegan una conducta caníbal, por lo que deben mantenerse separados.

Inconvenientes
Su cuidado lleva tiempo y necesitan un paisaje elaborado en el terrario, si bien son muy fáciles de cuidar. Con frecuencia hay a la venta ejemplares jóvenes criados en cautividad.

Dendrobates tinctorius azureus

Rana flecha azul

PERFIL

Esta bella rana es una subespecie de la rana flecha tintorera, *Dendrobates tinctorius*. Colonias aisladas de esta especie han llevado a la evolución de muchas coloraciones diferentes, entre ellas la rana flecha azul. Hay otras libreas también muy populares, aunque los cuidados son los mismos. Son especies de un tamaño significativo y muy robustas. La rana flecha azul tiene un color intenso adornado con manchas negras grandes y pequeñas en espalda y flancos. Las patas son largas y finas, y su postura es encorvada. Endémica de los bosques tropicales septentrionales de la cuenca del Amazonas, suele hallarse sobre rocas próximas al agua.

Temperamento
Valientes y activas durante el día.

Habitáculo
Se necesita un terrario alto y espacioso, como mínimo de 100 × 60 × 100 cm, para un grupo reducido, con vegetación profusa: muchas ramas para trepar y plantas, sobre todo bromelias, y una cobertura para el suelo, como musgo. Un «riachuelo», o bien un sistema automático de vaporización, aportará humedad.

Condiciones ambientales
Tropicales. Una temperatura de 20-27 °C y humedad elevada.

Atención
Quince minutos diarios.

▲ *La rana flecha azul es una de las especies de mayor tamaño de esta familia.*

Variedades
Hay muchas libreas de colores en el caso de las ranas *D. tinctorius*.

Cuidados
Comen a diario, preferiblemente dos veces, y hay que pulverizar con agua con frecuencia.

Alimentación
Muchos insectos pequeños, sobre todo moscas de la fruta y grillos recién eclosionados, siempre espolvoreados con un suplemento de vitaminas y minerales.

▶ *Una de las ranas más impresionantes del mundo, la rana flecha azul, precisa mucho más espacio que la mayoría de las otras ranas flecha.*

Gastos			
G. instalación			
G. corrientes			

Tamaño: 4-4,5 cm.

Origen: América del Sur.

Vida: 4-5 años.

Reproducción
Se reproducen con relativa facilidad, aunque el cuidado de los renacuajos consume mucho tiempo. Los huevos se depositan en tierra y son trasladados al agua por uno de los progenitores. Los renacuajos despliegan una conducta caníbal, por lo que deben mantenerse separados.

Inconvenientes
Necesitan un paisaje muy elaborado en el terrario (también puede verse como una ventaja). Por otra parte, no presentan problemas evidentes y suele haber a la venta ejemplares jóvenes criados en cautividad (aunque caros).

Epipedobates tricolor

Rana flecha fantasma

Esta rana flecha de color crema y franjas longitudinales granates se diferencia de la mayoría de las demás especies. Menuda, regordeta y muy grácil, no luce una librea de coloración tan vistosa como otras ranas flecha, pero es una de las especies más adaptables. Está en peligro de extinción en la naturaleza y tal vez desaparezca pronto, pero abunda su número en cautividad.

Temperamento
Muy activa durante el día.

Habitáculo
Se necesita un terrario alto y espacioso, que mida como mínimo 60 × 45 × 45 cm, para un grupo reducido. Contendrá muchas plantas, sobre todo bromelias, donde refugiarse, y también pondrá allí sus huevos. Si se provee de un área acuática, la usará para la reproducción.

Condiciones ambientales
20 °C-27 °C durante el día, aunque también tolera temperaturas ligeramente más bajas. La humedad será alta y el terrario tendrá que estar bien ventilado.

Atención
Alrededor de 15 a 20 minutos al día para darles de comer y para el mantenimiento general. Mucho más tiempo para terrarios grandes.

Gastos		
G. instalación		
G. corrientes		

Tamaño: 2,5-4 cm.
Origen: Centro de Ecuador.
Vida: 10 años o más.

Variedades
Sólo hay una ligera variación cromática y en la anchura de las franjas. Algunos ejemplares son más rojos que otros, o con un tono verdoso o turquesa en sus franjas de color crema. La diferenciación de la especie *E. anthonyi* ya no es válida.

Cuidados
Darle de comer una o dos veces al día y pulverizar el terrario con agua.

Alimentación
Moscas de la fruta, grillos recién eclosionados y otros insectos muy pequeños en grandes cantidades, espolvoreados con un suplemento de vitaminas y minerales.

◀ *Esta especie tan chiquita se adapta bien a la vida en cautividad.*

▲ *La rana flecha fantasma es fácil de reconocer. Las franjas claras a veces son blancas, de color crema o verdosas.*

Reproducción
Es la rana flecha con menos problemas para su reproducción. Deposita un gran número de huevos en las hojas de las bromelias, y los padres llevan los renacuajos al agua cuando eclosionan. No se tienen que criar por separado. Las ranas jóvenes son diminutas y su comida debe consistir en colémbolos.

Inconvenientes
Ninguno; probablemente sea la mejor especie para los neófitos y hay a la venta muchos ejemplares jóvenes criados en cautividad.

Phyllobates terribilis

Rana flecha dorada

PERFIL

Esta especie corpulenta de rana flecha es notable por la virulencia de su ponzoña, una de las más peligrosas de la fauna mundial. No obstante, las ranas criadas en cautividad pierden la capacidad de producir toxinas muy potentes y por eso no son peligrosas, aunque habrá que adoptar todas las precauciones y manipularlas lo menos posible, o mejor nada. Su librea es de un amarillo uniforme excepto por pequeñas áreas de color negro en las puntas de los dedos y bordeando la boca y los ojos. Es originaria de Colombia y su descubrimiento es bastante reciente.

Temperamento
Es osada y activa durante el día.

Habitáculo
Se necesita un terrario grande, que mida 100 × 100 × 60 cm para un grupo reducido, con muchas ramas para trepar y, si es posible, plantas trepadoras. Un pequeño curso de agua artificial aportará la humedad requerida, o bien un sistema automático de vaporización.

Condiciones ambientales
Una temperatura de 20-27 °C y humedad elevada. La iluminación será tenue, así que si se ponen plantas vivas se deberá tener en cuenta este hecho.

Atención
Quince minutos al día.

Variedades
Hay dos libreas de coloración distinta: la de las ranas amarillas, que hemos descrito arriba, y otra de color verde cobrizo.

◄ *Esta rana es muy venenosa.*

Cuidados
Comerá una o dos veces al día y hay que pulverizar con agua el terrario (si no se cuenta con un sistema automático de vaporización o un curso de agua artificial).

Alimentación
Moscas de la fruta, grillos recién eclosionados, pequeñas larvas del lepidóptero *Pyralidae*, etc., espolvoreados con un suplemento de vitaminas y minerales.

Gastos			
G. instalación			
G. corrientes			

Tamaño: 5-5,5 cm.
Origen: Colombia.
Vida: Al menos 4-5 años.

Reproducción
Se reproducen con bastante facilidad. Los huevos se depositan en tierra y es uno de los padres el que traslada los renacuajos al agua, que se criarán separados unos de otros.

Inconvenientes
Son ranas potencialmente muy venenosas, y aunque los ejemplares criados en cautividad pierden gran parte de la toxicidad, no se recomienda su manipulación. Los niños no deben estar nunca cerca de ellas.

▼ *El color varía de amarillo brillante a verdoso, aunque ambas variedades son de la misma especie y se aparean sin hacer distinción.*

Dyscophus guineti

Rana roja de Madagascar

PERFIL

Tres especies de rana roja, o rana del tomate, proceden de Madagascar. Una de ellas, *Dyscophus antongilii*, está en peligro de extinción y hay pocos ejemplares en cautividad. La *D. guineti* se importa a veces y también se crían en cautividad. Son rechonchas, piriformes vistas desde arriba y se hinchan y aumentan su volumen si se las molesta. Su librea es de color marrón amarillento o marrón anaranjado, con pintas negras y una mancha oscura con forma de corazón en el dorso. Las hembras son de colorido más brillante. Habitan en bosques tropicales y se reproducen en charcas de agua estancada.

▲ *Las hembras tienden a lucir una librea más vistosa y colorida que los machos.*

Temperamento
Son plácidas y se manipulan bien, aunque su brillante colorido sugiera que su piel es tóxica.

Habitáculo
Un terrario de 60 × 15 × 15 cm es suficiente para uno o dos ejemplares adultos; contará con un sustrato de hojas caídas, esfagno o fibra de coco, y una profundidad de al menos 5 cm, para que las ranas se puedan ocultar enterrándose. Pedazos de corteza ofrecerán escondites e impedirán que el sustrato se seque por completo. No es vital un recipiente con agua si el sustrato está siempre húmedo.

Condiciones ambientales
Calor y humedad. Prefiere una temperatura de 18-25 °C, y el sustrato se pulverizará con frecuencia para mantener una humedad elevada.

Atención
De cinco a diez minutos al día.

Variedades
Ninguna. Las otras dos especies de rana del tomate son *Dyscophus antongilii*, en peligro de extinción, y *D. insularis*, más pequeña y de color más mate.

Cuidados
Comen dos o tres veces por semana y hay que pulverizar con agua con regularidad.

Alimentación
Insectos pequeños como grillos, espolvoreados con un suplemento de vitaminas y minerales.

Gastos		
G. instalación		
G. corrientes		

Tamaño: 6-9,5 cm; las hembras más grandes que los machos.

Origen: Este de Madagascar.

Vida: Dato desconocido.

▲ *La rana roja de Madagascar, o rana de tomate, es una especie corpulenta que pertenece a la familia de las microhílidas, o ranas de boca estrecha, una familia con enorme dispersión geográfica y compuesta sobre todo por especies muy pequeñas.*

Reproducción
La reproducción es posible pero complicada. Se necesita una cámara de lluvia.

Inconvenientes
Son reservadas y se dejan ver muy poco. Su piel tóxica las hace inadecuadas para niños.

Kaloula pulchra

Rana toro asiática o rana pintada asiática

PERFIL

Aunque a veces se venden con el nombre de ranas rechonchas, se trata de una especie oronda cuya librea exhibe manchas distintivas de color canela y marrón, con largos dedos acabados en ventosas diminutas para escalar, aunque viven casi todo el tiempo en el suelo. Abundan cerca de los poblados y en las afueras de las ciudades y pocas veces se ven en hábitats vírgenes, lo que revela que se adaptan bien. Se reproducen tras caer fuertes lluvias en cualquier época del año.

Temperamento
De hábitos nocturnos, aprenden a salir al atardecer para comer.

Habitáculo
Un terrario que mida unos 60 × 30 × 30 cm es apropiado para dos o tres ranas. Un sustrato de fibra de coco, esfagno o un lecho de hojas caídas es ideal y debe estar ligeramente húmedo pero no mojado. Algunos trozos de corteza les ofrecerán a las ranas

▲ *El cuerpo orondo de esta especie se aprecia en esta imagen. A pesar de su tamaño, prefieren cazar presas pequeñas.*

un escondrijo y conservarán la humedad debajo. No es necesario un recipiente con agua si no se se deja secar del todo el sustrato.

Condiciones ambientales
Se recomiendan temperaturas en torno a 20-25 °C. La humedad será bastante alta, aunque el terrario estará bien ventilado.

Gastos			
G. instalación			
G. corrientes			

Tamaño: 5-7,5 cm; las hembras más grandes que los machos.

Origen: Sureste asiático.

Vida: Dato desconocido, probablemente 5 años o más.

Atención
De cinco a diez minutos al día.

Variedades
Ninguna. A veces aparecen en el mercado otras especies de *Kaloula*.

Cuidados
Darles de comer y pulverizar con agua a diario, y se deberá dedicar ocasionalmente tiempo para el mantenimiento del terrario.

Alimentación
Insectos como grillos, espolvoreados con un suplemento de vitaminas y minerales. No engullen insectos muy grandes.

Reproducción
No se crían en cautividad.

Inconvenientes
Ninguno, excepto que no hay a la venta ejemplares jóvenes criados en cautividad.

◄ *Se adaptan bien a la vida en cautividad, pero son reservadas y rara vez se dejan ver de día.*

Hyperolius puncticulatus

Rana de los juncos dorada

PERFIL

Esta minúscula ranita del este de África se confunde a veces con una especie parecida, la rana de los juncos de Mitchell (que tal vez sea una variedad de la misma especie). También llamadas ranas de los cañaverales, viven en estanques y ciénagas, a menudo apostadas entre la vegetación justo encima del agua; de ahí su nombre. Esta especie es de color canela con una banda longitudinal de color crema y bordes negros que recorre sus flancos. En algunas variedades estas franjas se interrumpen al llegar a los ojos, pero también hay otras posibilidades.

Temperamento
Muy activas y ágiles, se dejan ver cuando están en grupos reducidos en terrarios con vegetación, pero no se deben tocar ni manipular.

Habitáculo
Un terrario alto de unos 45 × 45 × 60 cm de altura es el tamaño mínimo para grupos reducidos, pero si es más grande, mejor. Contendrá un recipiente grande con agua, o se cubrirá el fondo con 3-4 cm de agua. Requiere plantas altas para que descanse.

Condiciones ambientales
Una temperatura de 20-25 °C y una humedad elevada.

Atención
De cinco a diez minutos al día.

Variedades
Hay varias libreas cromáticas en esta especie, y muchas otras especies de ranas de los juncos, algunas a veces en el mercado de mascotas. Algunas especies son muy variables y no siempre sabemos cuál se vende. De cuidados parecidos, sus hábitos reproductivos varían ligeramente.

Cuidados
Comen a diario, y también hay que pulverizar con agua, si no hay un sistema automático de aspersión.

Alimentación
Insectos pequeños como grillos y moscas.

Reproducción
Se reproducen con regularidad con las condiciones adecuadas. Las puestas adoptan la forma de

◄ *Todas son pequeñas, con grandes ojos saltones y ventosas adherentes en las puntas de los dedos.*

Gastos			
G. instalación			
G. corrientes			

Tamaño: 2,5 cm.
Origen: Este de África.
Vida: Probablemente 1 o 2 años.

▲ *A pesar de su nombre, la rana de los juncos dorada presenta dos franjas anchas en sus flancos. Su librea es muy variable y a menudo son difíciles de identificar.*

racimos de 100 a 200 huevos que depositan en las ramas u hojas que penden sobre el agua, y los renacuajos resbalan y caen al agua cuando eclosionan.

Inconvenientes
Son una especie que se deja ver, aunque no se deben manipular. Normalmente hay a la venta ejemplares criados en cautividad.

Hyperolius tuberilinguis

Rana de cañaveral tinker

PERFIL

Es ésta unas de las ranas de los juncos de mayor tamaño. Procede del este y sur de África y suele tener una librea uniforme de color verde, aunque hay ejemplares amarillos. Representa a otras ranas de los juncos muy parecidas que a veces se venden en las tiendas. Vive en pastizales de tierras bajas, sobre todo en zonas inundadas y en las riberas de lagunas poco profundas. Deposita los huevos en el agua, en pequeños racimos prendidos de la vegetación sumergida.

Temperamento
Muy vivaces y propensas a dar saltos erráticos, se aclimatan bien en cautividad, si no se las molesta, y pueden vivir en terrarios naturalistas.

Habitáculo
Un terrario alto de unos 45 × 45 × 60 cm de altura es adecuado para un grupo reducido. Contendrá ramas y plantas vivas para que las trepen y reposen entre la vegetación, y un recipiente grande con agua para que se reproduzcan.

Condiciones ambientales
Calor y humedad. Una temperatura de 18-23 °C es apropiada, y la humedad, que debe ser elevada, se mantendrá pulverizando el terrario con agua

o con un sistema automático de vaporización.

Atención
De cinco a diez minutos al día.

Variedades
Libreas verdes y amarillas, como dijimos arriba, y varias especies parecidas. En ocasiones resulta difícil su identificación exacta.

Cuidados
Deben comer a diario y hay que pulverizar con agua si no hay un sistema automático.

▼ *Es una especie de librea predominantemente verde. Se aprecian los huevos en desarrollo a través de la piel de la madre.*

Gastos			
G. instalación			
G. corrientes			

Tamaño: 2,5-3,5 cm; las hembras son más grandes.	
Origen: Este de África del Sur.	
Vida: Probablemente 1 o 2 años.	

Alimentación
Insectos pequeños como grillos, moscas, e insectos diminutos capturados en la naturaleza.

Reproducción
Suelen reproducirse si están bien alimentadas y su entorno es el apropiado. Lo más difícil es sacar adelante las diminutas ranitas.

Inconvenientes
No se pueden manipular. La presencia en las tiendas de ejemplares criados en cautividad es incierta.

Ptychadena mascareniensis

Rana de las islas Mascareñas

Se trata de una rana muy vivaz, de hábitos terrestres, que puede dar grandes saltos. Su librea es marrón y algunos ejemplares lucen una franja longitudinal naranja que recorre el centro de la espalda. Presenta varios pliegues cutáneos en el dorso, característica propia de los miembros de este género. Tiene el hocico apuntado y sus patas posteriores son muy largas. Vive en muy diversos hábitats, aunque es más habitual en los herbazales de las ciénagas, en campos y jardines.

Temperamento
Nerviosas al principio y muy vivaces.

Habitáculo
Se necesita un terrario amplio de al menos 60 × 45 × 45 cm de altura, o mejor más grande. Contendrá una sección terrestre con hojas caídas, esfagno o fibra de coco, y una zona acuática aparte con unos centímetros de agua. La vegetación terrestre ofrecerá refugio para esconderse, lo cual es importante.

Condiciones ambientales
Condiciones tropicales: una temperatura de 23-28 °C y una humedad elevada, si bien el terrario tiene que estar bien ventilado.

Atención
De cinco a diez minutos al día.

Variedades
Ninguna, excepto las listadas y las que no tienen manchas.

Cuidados
Deben comer a diario y a veces hay que limpiar el contenedor de agua o la zona acuática.

Alimentación
Insectos, sobre todo grillos, y lombrices.

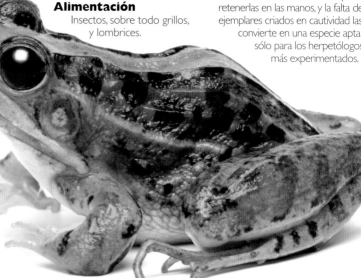

▶ *Esta especie adopta dos libreas: este ejemplar luce una raya ancha y naranja en el centro de la espalda, aunque convive con ejemplares monocromáticos. Ambas variedades son muy vivaces.*

Gastos			
G. instalación			
G. corrientes			

Tamaño: 4,5-6 cm; las hembras más grandes que los machos.

Origen: Área meridional y central de África, y todo Madagascar, donde es probable que fuera introducida.

Vida: Dato desconocido, probablemente 5 años o más.

Reproducción
No se crían en cautividad.

Inconvenientes
Son demasiado vivaces como para retenerlas en las manos, y la falta de ejemplares criados en cautividad las convierte en una especie apta sólo para los herpetólogos más experimentados.

Pyxicephalus adspersus y P. edulis

Rana toro africana

PERFIL

Son dos las especies de ranas toro africanas, y que antes se clasificaban juntas como *Pyxicephalus adspersus*. Ambas aparecen a veces en las tiendas de mascotas, por lo general ejemplares jóvenes difíciles de diferenciar, aunque la especie «original», *P. adspersus*, es más grande. Las dos, «colosales» y corpulentas, con grandes bocas, son el equivalente a los escuerzos de América del Sur. Las ranas jóvenes poseen una librea parcialmente verde moteada y verde amarillenta, con una franja longitudinal amarilla en medio de la espalda. Estas manchas cambian con la edad y los adultos lucen un dorso liso de color verde oscuro con áreas amarillas en la base de las patas y en los flancos, más brillantes en los machos.

Temperamento
Su temperamento es plácido, pero algunas se muestran agresivas.

Habitáculo
Similar al de los escuerzos de América del Sur (páginas 50-1), con los que guardan muchos paralelismos.

Condiciones ambientales
Son tropicales o subtropicales dependiendo de su origen y necesitan calor (20-28 °C es lo ideal) y una humedad elevada.

Atención
De cinco a diez minutos al día.

▲ *Los adultos son predominantemente verdes y se crían en aguas someras.*

Variedades
Sólo dos especies, ya mencionadas: *la rana P. edulis* es más pequeña y carece de los pliegues cutáneos dorsales de la rana *P. adspersus*. Los ejemplares jóvenes son indistinguibles.

Cuidados
Pulverizar con agua a diario. Comen una o dos veces por semana; las jóvenes con más frecuencia.

Gastos			
G. instalación			
G. corrientes			

Tamaño: *P. adspersus*, hasta 23 cm; *P. edulis*, hasta 12 cm. Los machos son más grandes.

Origen: África meridional.

Vida: Más de 20 años, siendo el récord 45 (*P. adspersus*).

Alimentación
Insectos grandes, como grillos y langostas. Los adultos comen pequeños vertebrados como ratones, y también otras ranas, por lo que se deben mantener en habitáculos individuales.

Reproducción
Es complicada y requiere un período largo de sequía seguido por otro en una cámara de lluvia. Los criadores recurren a inyecciones de hormonas.

Inconvenientes
Son mascotas dóciles y su tenencia es satisfactoria, aunque a veces se muestren belicosas. Hay que empezar con un ejemplar joven criado en cautividad, porque se adaptará más rápido al terrario. En cada habitáculo sólo puede haber un ejemplar.

◄ *Las ranas toro jóvenes son más vistosas, tienen un apetito voraz y crecen con rapidez.*

Boophis rappiodes

Rana de ojos brillantes

Más de 70 especies del género Boophis se conocen como ranas de ojos brillantes. Esta especie es una de las más pequeñas, y su color es verde brillante con tonalidades rojas y amarillas. Las hembras tienden a lucir más pigmentación roja que los machos, y ambos sexos tienen las pupilas plateadas y el resto del globo ocular de color azul brillante. Hay varias especies similares y es posible que se etiqueten de manera incorrecta cuando se importan. Viven en el límite de los bosques tropicales del este de Madagascar, a menudo cerca de cursos de agua, y los machos emiten su reclamo desde las hojas que penden sobre el agua.

Temperamento
Muy vivaces y ágiles, normalmente se aclimatan bien al terrario siempre que no se las moleste.

Habitáculo
Un terrario alto de unos 45 × 45 × 60 cm es adecuado para una pareja o un grupo reducido. Necesitan abundante vegetación, viva si es posible, y ramas para trepar. Un recipiente con agua sólo es esencial para la reproducción.

Condiciones ambientales
Calor y humedad. Una temperatura de 18-25 °C es adecuada; la humedad debe elevarse pulverizando el terrario con agua o, mejor aún, con un sistema automático de vaporización o un curso pequeño de agua. Es necesaria iluminación si hay plantas vivas.

Atención
De cinco a quince minutos al día, según la complejidad del paisaje del terrario.

Gastos			
G. instalación			
G. corrientes			

Tamaño: 2-3,5 cm; las hembras más grandes que los machos.
Origen: Este de Madagascar.
Vida: Dato desconocido, probablemente varios años.

Variedades
Ninguna, aunque hay varias especies muy parecidas.

Cuidados
Deben comer a diario y se pulverizará el terrario con agua siempre que sea necesario.

Alimentación
Insectos pequeños como grillos e insectos diminutos capturados en la naturaleza. Todas las comidas, espolvoreadas con un suplemento de vitaminas y minerales. Hay que darles de comer al anochecer.

Reproducción
No se reproducen en cautividad, aunque no haya una razón aparente. Es probable que ayude la presencia de una cámara de lluvia.

Inconvenientes
La falta de ejemplares criados en cautividad en venta. No aguantan bien que las manipulen habitualmente.

▲ *Algunas ranas de ojos brillantes son verdes con la piel translúcida.*

Chiromantis xerampelina

Rana arborícola gris

PERFIL

Es ésta una rana arborícola grande, de piel áspera, procedente de las áreas oriental y meridional de África. Aunque es poco habitual en ranas de costumbres arbóreas, vive en prados con árboles, a menudo cerca de pozas o charcas. Posee varios mecanismos para no deshidratarse cuando el calor es asfixiante, como la excreción de ácido úrico, una sustancia pastosa y blanca que contiene muy poca agua; pájaros y reptiles recurren al mismo sistema, pero pocas veces lo usan los anfibios. A menudo se aposta en ramas a pleno sol, donde su coloración gris y moteada la camufla. La puesta de huevos se produce en un nido de espuma que prende de las ramas que hay sobre charcas u otras masas de agua.

Temperamento

De hábitos nocturnos, pasan el día descansando en las ramas, a menudo a la vista de sus amos.

Habitáculo

Un terrario alto, de 45 × 45 × 60 cm de altura como mínimo, para acomodar dos o tres ranas.

Condiciones ambientales

Durante el día lo adecuado es una temperatura de 20-28 °C, y un poco menos por la noche. Hay que pulverizar con agua a diario, siempre y cuando esté bien ventilado, para que se seque con rapidez. Un recipiente con agua aportará humedad local.

Atención

De cinco a diez minutos al día.

Variedades

Hay otras dos especies de *Chiromantis* en África, ambas difíciles de encontrar.

Cuidados

Alimentarlas a diario y pulverizar el terrario con agua. Saltarse este régimen un día o dos no causará problemas si tienen buena salud.

Alimentación

Insectos como grillos, moscas y polillas.

Gastos

Gastos				
G. instalación				
G. corrientes				

Tamaño: 5-8 cm; las hembras más grandes que los machos.

Origen: Áreas oriental y meridional de África.

Vida: Dato desconocido, probablemente varios años.

Reproducción

Pocas veces se reproducen en cautividad, aunque debería ser fácil si se exponen a un período de sequedad seguido por otro de humedad, que se conseguirá pulverizando el terrario con agua.

Inconvenientes

Ninguno, excepto la falta de ejemplares a la venta criados en cautividad.

▲◀ *Bien adaptadas a climas secos y cálidos, a menudo viven en hábitats áridos.*

Mantela dorada

PERFIL

Es ésta una ranita preciosa de librea brillante y totalmente naranja, con excepción de los ojos, que son negros. Es endémica de Madagascar, donde se concentra en unas pocas ciénagas, y se considera en peligro crítico de extinción. Prefiere hábitats abiertos y soleados. Los machos emiten un reclamo parecido a un gorjeo. Hay dieciséis especies de mantelas, algunas muy distintas, de color brillante y hábitos diurnos, presumiblemente porque su piel contiene sustancias desagradables para los depredadores que las inmuniza ante sus ataques. Así, son similares a las ranas flecha venenosas de América Central y del Sur.

▲ *Pequeña pero perfectamente formada, es una de las ranas de color más identificable. Su piel tiene el color y la textura de la piel de una naranja.*

▼ *Desovan los huevos en tierra, en lugares húmedos, y los renacuajos culebrean en el agua cuando eclosionan.*

Temperamento
Vivaces y atrevidas, se esconden bajo hojas y pedazos de madera, aunque suelen mostrarse durante el día en busca de alimento.

Habitáculo
Aunque pequeñas, necesitan mucho espacio porque son muy territoriales. La altura del terrario no es tan importante como el espacio superficial, que debe ser de al menos 60 × 30 cm para una pareja o un grupo reducido. El sustrato será un lecho de hojas caídas, esfagno o corteza de orquídeas, y debe haber trozos de corteza para esconderse. Es adecuado contar con plantas vivas en el terrario. El sustrato se cambiará con regularidad para prevenir la acumulación de toxinas.

Condiciones ambientales
Las mantelas prefieren un clima fresco, lo ideal es de 18-20 °C durante el día, y un poco más fresco

por la noche. La humedad será alta, pero el terrario estará bien ventilado. Un sistema automático de vaporización es lo mejor para lograr estas condiciones.

Atención

De diez a quince minutos al día para darles de comer y pulverizar con agua; más tiempo –hasta una hora– para cambiar parte del sustrato de cada dos a cuatro semanas.

Variedades

Hay una especie similar, *Mantella milotympanum*, a veces considerada una subespecie, que sólo se diferencia de la mantela dorada porque los tímpanos son negros y exhibe una zona negra alrededor de las ventanas nasales. Otras especies que a veces se hallan en las tiendas son la mantela pintada malgache, *M. baroni*, y la mantela amarilla, *M. crocea*. Sus cuidados, y los de otras especies, son parecidos a los de la mantela dorada, aunque la temperatura debe ser un poco más alta (aunque a ninguna de ellas les gusta el calor).

Cuidados

Deben comer a diario y también se pulverizará el terrario con agua, además de cambiar parcialmente el sustrato cada cierto tiempo. Si se deja un recipiente con agua, habrá que rellenarlo cada día.

Alimentación

Insectos pequeños como grillos, larvas pequeñas del lepidóptero *Pyralidae* o insectos diminutos capturados en la naturaleza. Asegurarse de que se han comido los insectos del día anterior, porque se pueden acumular en el sustrato. Las comidas se espolvorearán con un suplemento de vitaminas y minerales.

Reproducción

Facilidad relativa. En la naturaleza, las puestas se hacen en un sustrato húmedo y los huevos eclosionan cuando el nivel de agua sube e inunda el terreno. En cautividad depositarán racimos de huevos bajo trozos de corteza sobre musgo húmedo o en un lecho de hojas. Los huevos se trasladan para que se desarrollen en un contenedor aparte lejos del terrario de los adultos. Las ranitas recién metamorfoseadas son muy pequeñas y comen moscas de la fruta y grillos recién eclosionados.

◄ *Los órganos internos se ven en esta inusual imagen ventral.*

Gastos			
G. instalación			
G. corrientes			

Tamaño: 2-2,5 cm; las hembras son un poco más grandes.

Origen: Noroeste de Madagascar.

Vida: Al menos 10 años.

Inconvenientes

Especie en peligro de extinción, sólo se deben comprar ejemplares criados en cautividad, y hay que hacer cuanto esté en nuestra mano para que se reproduzcan. Son mascotas ideales para terrarios; se dejan ver y a menudo se reproducen con las condiciones adecuadas.

Polypedates leucomystax

Rana nido de espuma

Se trata de una rana arborícola muy corriente en áreas del sureste asiático, donde recibe distintos nombres. Su librea es marrón, canela o castaño dorada, y algunas presentan cuatro líneas oscuras que recorren toda la espalda. Son muy ágiles, cuentan con grandes ventosas en los dedos y sus hábitos son profundamente arbóreos. La puesta de los huevos se realiza en un nido de espuma del tamaño de una pelota de tenis, que se prende a una rama que pende sobre el agua o en la orilla de un estanque o acequia. Cuando los renacuajos eclosionan, la espuma se desintegra y pueden llegar al agua.

Temperamento
De hábitos nocturnos y muy vivaces.

Habitáculo
Se necesita un terrario grande de unos 60 × 60 × 100 cm. Contendrá multitud de ramas y, si es posible, plantas vivas, para que trepen. Habrá que incluir una zona de agua.

Condiciones ambientales
Son ranas tropicales y necesitan una temperatura de 20-25 °C día y noche. También una humedad elevada, aunque el terrario tendrá que estar bien ventilado.

Atención
De cinco a diez minutos al día.

Variedades
De vez en cuando, hay otras especies de *Polypedates* que se

▲ *La rana arborícola de nido de espuma es habitual en la mayor parte del sureste asiático y es muy adaptable.*

venden en las tiendas, así como la *Rhacophrorus*, algunas de las cuales son «ranas voladoras». Los cuidados son similares a los de la especie descrita —más habitual—, si bien las especies de mayor tamaño requieren terrarios más grandes.

Cuidados
Alimentarlas a diario y pulverizar con agua todos los días. Es útil un sistema de aspersión o vaporización automático.

▶ *Su cuerpo delgado y atlético es inconfundible, pero su coloración es variable.*

Gastos				
G. instalación				
G. corrientes				

Tamaño: 5-8 cm.
Origen: Amplia distribución por el sureste asiático.
Vida: Dato desconocido, probablemente varios años.

Alimentación
Insectos como grillos y cucarachas. Como su boca es grande, engullen insectos de tamaño considerable.

Reproducción
La reproducción en cautividad se intenta pocas veces, aunque no debería ser difícil. También es probable que sea útil la presencia de una cámara de lluvia.

Inconvenientes
Son vivaces y difíciles de manipular. Pocas veces hay a la venta ejemplares jóvenes criados en cautividad.

Theloderma corticale

Rana musgosa

PERFIL

Rana de aspecto extraño aunque interesante, cuya coloración y textura se parecen al musgo; de ahí su nombre. Es una especie trepadora con grandes ventosas en los dedos de la misma familia que muchas otras ranas arborícolas y ranas voladoras asiáticas. Soporta diferentes condiciones climáticas y se reproduce en cautividad, desovando pequeños racimos de huevos que prende en rocas o madera sobre la línea del agua. Cuando los huevos eclosionan, los renacuajos caen al agua y se desarrollan.

Gastos			
G. instalación			
G. corrientes			

Tamaño: Hasta unos 7-7,5 cm.

Origen: Vietnam.

Vida: Varios años.

▲ *Es una mascota excelente para terrarios, y se reproduce sin problemas en cautividad con las condiciones adecuadas.*

Temperamento

Sus hábitos son nocturnos. Es plácida, pero tal vez se haga la muerta si se la manipula.

Habitáculo

Un terrario grande de cristal, de al menos 60 cm de largo y 60 cm de alto, es apropiado para un grupo reducido de ejemplares jóvenes. Contará con unos 5-10 cm de agua, con rocas o ramas para que trepen y descansen. Una plataforma de corcho o una laja de piedra son útiles para dejar la comida.

Condiciones ambientales

Son muy poco exigentes y toleran temperaturas bajas de hasta 15 °C, y altas de hasta 25 °C. A menudo la temperatura ambiente es adecuada.

Atención

De cinco a diez minutos diarios. Períodos ocasionales más largos para la limpieza y cambiar el agua.

Cuidados

Deben comer a diario en pequeñas cantidades: depositar demasiados insectos en el

▼ *Su color y textura le confieren un camuflaje excelente.*

terrario hará que se ahoguen y contaminen el agua. Es necesario cambiar el agua con regularidad.

Alimentación

Insectos como grillos y cucarachas. Su apetito es proverbial, pero sólo comen de noche. Los insectos se espolvorearán con un suplemento de vitaminas y minerales, y se depositarán en el terrario una vez que haya anochecido, para que las ranas se los coman mientras todavía conserven el polvo.

Reproducción

Fácil si se dispone de una pareja, si bien la determinación del sexo sólo es posible con ejemplares adultos. Criar renacuajos y ejemplares jóvenes es sencillo.

Inconvenientes

El canto de reclamo de los machos se produce de noche. No es un sonido agradable y resulta molesto para muchas personas.

73

Rana cagada de pájaro

PERFIL

Es una especie más pequeña que la rana musgosa habitual, y su aspecto es muy distinto. Su librea está salpicada de manchas de color marrón crema y canela, lo cual hace difícil verla cuando está quieta sobre corteza; también hay una teoría que afirma que esta coloración las camufla como si fueran deyecciones de pájaros. Los dedos acaban en grandes ventosas para escalar, y sus ojos son grandes y de color rojo oscuro. Vive y desova en agujeros de árboles y tocones podridos, y adhiere los huevos a los laterales de esos agujeros, un poco por encima del nivel del agua.

Temperamento

Son de hábitos nocturnos y a menudo sestean a plena vista de día, confiadas en su camuflaje. No son especialmente nerviosas. Se hacen las muertas si se las manipula.

Habitáculo

Un terrario pequeño, de 45 × 30 × 45 cm de altura, para un grupo reducido de adultos. Debería haber 3-4 cm de agua en el fondo con trozos de plantas llamadas cornejos, ramas y plantas en macetas en el agua. Una plataforma de corcho o una laja de piedra son útiles para dejar la comida.

Condiciones ambientales

Necesitan temperaturas frescas, entre 18 y 23 °C, aunque no les harán daño períodos cortos con temperaturas más frescas o cálidas.

Atención

De cinco a diez minutos al día.

Variedades

Ninguna.

Cuidados

Deben comer cada uno o dos días.

Alimentación

Pequeños grillos, polillas, etc.

Reproducción

Un grupo reducido de ejemplares se reproducirá con facilidad. Las hembras depositan de tres a seis huevos cada dos o tres semanas, que prenden de maderos o rocas justo por encima del agua. Los renacuajos caen al agua cuando eclosionan, y entonces los podemos trasladar o dejarlos allí para que se desarrollen. Comen escamas de pescado y su crecimiento es lento.

Inconvenientes

Ninguno, pero no se encuentran en tiendas con frecuencia.

▼ *Al igual que la rana musgosa, esta especie también depende mucho del camuflaje para su supervivencia.*

Gastos			
G. instalación			
G. corrientes			

Tamaño: 3-3,5 cm.	
Origen: Sur de China y sureste asiático.	
Vida: Al menos 5 años.	

Occidozyga lima

Rana lima

PERFIL

Las ranas lima a veces se llaman ranas «flotantes asiáticas», y ambos nombres le pegan. Son pequeñitas, rechonchas y se pasan el tiempo en aguas someras, como charcas, roderas, campos inundados, etc. Su librea es marrón o verde olivácea, con pintas oscuras en la espalda. Algunas lucen una franja dorsal de color crema o amarillo pálido. Se extienden por el sureste asiático, donde viven otras especies del mismo género, todas muy similares.

Temperamento

Son tímidas al principio, pero pronto se acostumbran a vivir en cautividad, siempre que no se las moleste demasiado.

Habitáculo

Se necesita un terrario semiacuático de unos 45 × 30 × 30 cm que contenga unos centímetros de agua y un área terrestre a la que poder acceder: puede ser una laja de piedra sobre el agua o un trozo de corcho que flote. Se pueden añadir plantas flotantes como *Salvinia*.

Condiciones ambientales

Les gusta el calor y prefieren una temperatura de 23-25 °C. La humedad tiene que ser elevada, como ocurrirá si su entorno es semiacuático, aunque el terrario tiene que estar bien ventilado.

Atención

De cinco a diez minutos al día.

Se necesita más tiempo para cambiar el agua.

Variedades

Listadas o lisas, como se mencionó arriba. También hay otras especies dentro de este género, a veces llamadas «ranas de los arrozales», cuyos cuidados probablemente sean parecidos.

Gastos			
G. instalación			
G. corrientes			

Tamaño: 3-4 cm.	
Origen: Sureste asiático.	
Vida: Dato desconocido.	

▲ *Son fáciles de alojar en terrarios.*

Cuidados

Comen a diario y hay que cambiar el agua a veces, ya que los filtros no son prácticos en aguas someras.

Alimentación

Insectos pequeños como grillos e invertebrados acuáticos como larvas de mosca *Chironomidae tetans* y otros insectos.

Reproducción

No se sabe. No parece haber habido intentos serios para que se reproduzcan, aunque es probable que sea fácil de conseguir.

Inconvenientes

No hay a la venta ejemplares criados en cautividad. Por lo demás, su mantenimiento es sencillo.

Lithobates pipiens

Rana leopardo

La atractiva rana leopardo, que tal vez sea de color verde o canela con grandes lunares de color marrón oscuro, ofrece la mayor distribución geográfica de todas las especies de esta clasificación. Se encuentra desde Canadá hasta la mitad septentrional de Estados Unidos. Es una especie acuática que pocas veces se halla lejos del agua y ocupa variedad de hábitats. Tolera bien el frío e hiberna en el norte durante largos períodos.

Temperamento
Son nerviosas y activas, y dan grandes saltos si se las molesta.

Habitáculo
Lo ideal son terrarios grandes de por lo menos 100 × 45 × 45 cm. El terrario contendrá una zona acuática amplia, la cual puede incluir un recipiente grande con agua, o estar dividida en dos partes por una tirilla de cristal. El área terrestre debe ofrecer muchos escondrijos con plantas, cortezas, musgo, etc., y la sección acuática también poseerá vegetación. Sin estas precauciones, las ranas se estrellarán continuamente contra las paredes del terrario y se harán daño.

▶ *Las ranas leopardo son de las especies más corrientes de América del Norte.*

Condiciones ambientales
Una temperatura de 15-23 °C es adecuada, pero toleran el frío si es necesario, y no precisan calefacción suplementaria. Siempre y cuando haya agua, la humedad no será un problema.

Atención
De cinco a diez minutos diarios.

Variedades
Esta especie es dada a la variedad y se encuentran diversas variantes cromáticas.

Cuidados
Alimentarlas a diario y atender el mantenimiento general del terrario.

Alimentación
Insectos como grillos.

Reproducción
No se crían en cautividad. En su área de distribución geográfica se reproducen naturalmente y se pueden conservar

Gastos			
G. instalación			
G. corrientes			

Tamaño: 8-10 cm.

Origen: América del Norte, desde Canadá hasta los estados centrales.

Vida: Dato desconocido, probablemente más de 10 años.

▲ *Son vivaces y propensas a dar grandes saltos erráticos, por lo que a veces se dañan el hocico.*

al aire libre, donde se aparearán sin que haya que tomar medidas especiales.

Inconvenientes
Su naturaleza nerviosa les reporta lesiones a menudo y suelen ser difíciles de manipular. No se venden ejemplares jóvenes criados en cautividad.

Rana temporaria

Rana bermeja

PERFIL

Esta especie tan corriente y de amplia distribución geográfica es originaria de gran parte del norte de Europa, incluidas las islas británicas. Su comercio está prohibido, pero es fácil que críen en estanques bajo techo o al aire libre. La mayoría presenta una librea marrón u olivácea. La «máscara» negra es característica de esta especie, aunque algunas ranas de su misma familia presentan rasgos similares. Hibernan en invierno, en el fondo de los estanques o en tierra, dentro de una galería excavada, y toleran temperaturas bajo cero.

Temperamento
Son activas y vivaces, con lo cual no son apropiadas para terrarios pequeños.

Habitáculo
Un estanque al aire libre es lo mejor para criar esta especie, donde se acomodarán con rapidez y se reproducirán. Si los alrededores se dejan un poco asilvestrados con

pilas de troncos y vegetación exuberante, se mantendrán en la vecindad durante todo el año. Es fácil encontrar información gratuita para construir estanques adecuados.

Condiciones ambientales
Un estanque para desovar y áreas para cazar e hibernar fuera de la temporada de apareamiento es todo cuanto necesitan.

◄ *Las ranas bermejas muestran diferencias cromáticas. Las hembras tienden a ser más robustas que los machos.*

Gastos*					
G. instalación					
G. corrientes					

*Construye un estanque y las ranas vendrán.

Tamaño: Hasta 10 cm; las hembras son un poco más grandes que los machos.

Origen: Centro y norte de Europa.

Vida: 10 años o más.

Atención
¡Ninguna!!

Variedades
Hay variantes de color; en la naturaleza se dan ejemplares de tono amarillento y rojizo.

Cuidados
Ninguno, aparte del mantenimiento del estanque.

Alimentación
Encontrarán su propio alimento, moscas e insectos, muchos de los cuales infestan los jardines.

Reproducción
Siempre que haya un estanque en condiciones, se reproducirán todas las primaveras.

Inconvenientes
Hay que tener un estanque en el jardín, lo que es un inconveniente si tienes niños pequeños o no cuentas con un jardín.

Tortugas y galápagos

■ Las tortugas marinas y terrestres son reptiles que poseen, en mayor o menor medida, un caparazón dentro del cual esconden la cabeza y las patas para protegerse de los depredadores. Las especies que viven en tierra suelen exhibir un caparazón más abovedado, mientras que el de las especies que viven en el agua suele ser más achatado e hidrodinámico. Con independencia de su forma, la porción superior del caparazón se llama espaldar, y la porción inferior, plastrón. El espaldar y el plastrón se componen de láminas óseas o «escudos» córneos fusionados para formar una defensa sin fisuras. Un grupo de tortugas marinas, las tortugas acuáticas de caparazón blando, tienen el espaldar de consistencia semejante al cuero.

■ En la actualidad se conocen 327 especies de tortugas marinas y terrestres en muy diversos hábitats, desde climas cálidos en que prosperan las tortugas desérticas hasta un medio completamente acuático en que se desenvuelven las tortugas marinas y las de caparazón blando. Incluso las tortugas acuáticas acuden a tierra para desovar, y no hay especies ovovivíparas. Sus parientes más próximos son los cocodrilos (25 especies) y los tuátaras (2 especies), ninguno de los cuales se aborda en este libro.

■ El alojamiento para las tortugas marinas y terrestres comprende desde acuarios con una zona de solario, como una roca sobresaliendo del agua o una rama situada bajo una lámpara de calor, hasta jaulas o recintos abiertos con un sustrato de paja seca o virutas de madera. Unas pocas especies se acomodan en recintos al aire libre en el norte de Europa, pero incluso en esos casos necesitan un alojamiento exterior bajo techo para prolongar su período de actividad al empezar la primavera y a finales de otoño. Todas las especies necesitan tomar el sol, y si no tienen acceso a la luz del sol, precisan una fuente artificial de radiación ultravioleta en forma de luz UVB. Hay varios productos en el mercado que resuelven el problema, pero la principal elección son lámparas de luz ultravioleta y lámparas solares, que emiten un amplio espectro de luz, incluidos rayos UVB. Hay muchas variables, como la potencia de la lámpara, la distancia entre el solario y la lámpara, y la edad de la lámpara. Hay que buscar asesoramiento en el punto de venta, o investigar en Internet, por ejemplo.

■ Los rayos ultravioleta son esenciales para que las tortugas sinteticen vitamina D_3, pues sin ella su organismo no absorbe el calcio. El calcio es importante para la formación de los huesos y para la transmisión de impulsos nerviosos. La insuficiencia de calcio se manifiesta en un tono muscular bajo y en un esqueleto frágil, estado que a veces recibe el nombre de enfermedad ósea metabólica (EOM). Por el contrario, un exceso de calcio, sobre todo si se acompaña de una dieta muy rica en proteínas, causa una producción excesiva de hueso y, sobre todo en el caso de las tortugas terrestres, provoca un engrosamiento de los escudos del caparazón, que comienza a crecer piramidalmente. La dieta de las tortugas terrestres debe consistir en alimentos bajos en proteínas y ricos en fibra, complementada con luz UVB y calcio administrado con moderación. Por su parte, las tortugas acuáticas y semiacuáticas a menudo son carnívoras, aunque a veces también se alimentan de la vegetación. Su dieta puede consistir en insectos y plantas acuáticas —si es que las comen— y un suplemento artificial equilibrado, como palitos alimenticios para tortugas.

■ Pocas veces se consigue criar tortugas en cautividad, pero siempre son éstas las que se recomiendan como mascotas en vez de especímenes capturados en la naturaleza. Algunas tortugas terrestres se crían en número reducido, mientras que en el caso de muchas especies hay restricciones sobre su venta, incluso cuando se han criado en cautividad. Los compradores se deben asegurar de que cualquier tortuga que compren se adquiera mediante una venta legal.

Chelydra serpentina

Tortuga lagarto o tortuga mordedora

PERFIL

Más fascinante que atractiva, presenta una cabeza desproporcionadamente grande, un pico afilado y un caparazón pequeño que no da cabida a sus extremidades. El dorso es negro y áspero, y se aprecian tres quillas evidentes; el plastrón es mucho más reducido y la cola, proporcionalmente larga. Habita muchos biotipos acuáticos, como estanques, arroyos, ciénagas y acequias. Es básicamente acuática y muy pocas veces abandona el agua –aunque una vez me topé con una que intentaba cruzar una autopista de tres carriles en el sur de Texas.

Temperamento
¡Muerde!

Habitáculo
Los ejemplares jóvenes viven en acuarios pequeños con un sustrato de grava y un filtro de agua; los adultos necesitan contenedores muy grandes. Deben poder extender la cabeza fuera del agua mientras descansan en el fondo. El terrario estará techado, para prevenir que caigan víctimas potenciales y para evitar que escape.

Condiciones ambientales
Las de origen septentrional son muy resistentes, aunque en cautividad necesitan una temperatura de 18-25 °C para no dar problemas. Se puede instalar una luz de insolación, aunque pocas veces sestean. Sin embargo, sí es aconsejable una fuente de luz ultravioleta.

Atención
Los ejemplares jóvenes precisan de cinco a diez minutos diarios para alimentarlos, aunque a medida que crecen también lo hace el tiempo que hay que dedicarles.

Variedades
Ninguna, aunque hay otra especie, la tortuga caimán, cuyo tamaño es mayor que el de la tortuga lagarto.

Cuidados
Las jovenes deben comer a diario o cada dos días; los adultos necesitan una limpieza frecuente del acuario.

Gastos		
G. instalación		
G. corrientes		

Tamaño: 20-30 cm; a veces mucho más grandes.

Origen: Este de América del Norte, desde el sur de Canadá hasta el golfo de México.

Vida: Hasta 50 años e incluso más.

Alimentación
Come de todo. Las crías recién salidas del cascarón devoran pequeños insectos, palitos alimenticios para tortugas, larvas acuáticas, gusanitos, etc. Las adultas comen plantas y fruta, y sobre todo pescado, roedores, pollo crudo, etc.

Reproducción
No se crían en cautividad.

Inconvenientes
No es una mascota para dueños apocados. Las adultas pueden infligir heridas graves, y aunque la mayoría se domestican, nunca podemos fiarnos de ellas. Las tortugas jóvenes terminan siendo ejemplares adultos de hasta 20 kg en cautividad.

▲◄ *Las crías recién nacidas son más atractivas que los adultos.*

Clemmys guttata

Tortuga moteada

PERFIL

Estas tortugas tan pequeñas lucen una librea inconfundible de motas amarillas redondas sobre un fondo negro. Las tortugas jóvenes presentan una mota por escudo, pero a medida que crecen se multiplica en varias motas o a veces desaparece. Las patas y la cabeza también lucen motas, a veces de color naranja. Viven en aguas someras de ciénagas, orillas de estanques y acequias, donde sestean al sol y se entierran en el barro del fondo si alguien las molesta.

Temperamento
Se adaptan bien a la vida en cautividad y pronto pierden su nerviosismo inicial.

Habitáculo
Necesitan un terrario grande que mida como mínimo 100 × 50 cm. La altura no es importante, aunque trepan con sorprendente agilidad. El terrario se divide por la mitad, en una zona seca y otra acuática, si bien el agua será poco profunda: no

más de 15 cm para ejemplares adultos y menos para las tortugas jóvenes. Como alternativa, los ejemplares jóvenes se conservarán en un acuario con unos 5 cm de agua y un par de lajas de piedra para que trepen. Habrá una lámpara de insolación y otra de luz UV sobre el solario.

Condiciones ambientales
Basta con el agua a una temperatura de 20 °C y acceso al solario durante el día.

Atención
Quince minutos al día.

Variedades
No hay variedades ni especies similares.

Cuidados
Deben comer a diario y hay que limpiar con regularidad; el uso de filtros suele ser poco práctico en aguas someras.

▲ ▼ *Son bonitas y buenas mascotas, si bien sólo se adquirirán ejemplares jóvenes criados en cautividad.*

Gastos			
G. instalación			
G. corrientes			

Tamaño: 9-12 cm (caparazón).

Origen: Este de América del Norte, desde Canadá hasta el norte de Florida.

Vida: Dato desconocido, probablemente más de 25 años.

Alimentación
Los ejemplares jóvenes se alimentan de insectos y gusanos pequeños; los adultos también comen vegetales. Asimismo, pueden tomar palitos alimenticios, pero no deben comer sólo eso.

Reproducción
No es complicada, , aunque sí se necesita un terrario grande con zonas donde la hembra pueda depositar los huevos.

Inconvenientes
Es difícil encontrar en venta. Están protegidas por ley en sus áreas de origen y es complicado conseguir ejemplares jóvenes criados en cautividad.

Emys orbicularis

Galápago europeo

PERFIL

Esta robusta especie se distribuye por gran parte de Europa y ocupa biotopos como estanques, canales, ríos y acequias. Sale a tierra para tomar el sol y se refugia en el agua a la menor señal de alarma. Su librea es predominantemente negra o marrón oscura, con manchitas amarillas características que irradian desde el centro de los escudos.

Temperamento
Muy adaptable, termina bastante domesticada en cautividad.

Habitáculo
Lo mejor es tener los ejemplares adultos al aire libre en un estanque con una zona terrestre cercada. Puede contener una zona de rocas o troncos, que animará a ocupar el área a invertebrados, presas de esta tortuga, aunque sobre todo se alimenta dentro del agua. Los jóvenes pueden estar en un acuario pequeño sin calefacción, con unos 10 cm de agua y una lámpara de luz UV.

Condiciones ambientales
El clima europeo es adecuado. En áreas más frías se logrará un poco más de calor situando el estanque en una zona despejada y soleada.

Atención
Apenas precisan atención si están al aire libre, aparte del mantenimiento habitual de un estanque.

Cuidados
Hay que cuidar el mantenimiento general del estanque. Tal vez sea necesario trasladar la tortuga en otoño a un lugar cálido bajo techo, aunque la mayoría hibernará al aire libre si el recinto es apropiado.

Gastos				
G. instalación*				
G. corrientes				

Ninguno si se instala en el jardín.

Tamaño: 20 cm. (caparazón)
Origen: Europa
Vida: 30-40 años; posiblemente hasta 50.

Variedades
Ninguna.

Alimentación
Lombrices depositadas en el agua. También comen pescado y renacuajos, por lo que no deben ocupar estanques que contengan otras especies anfibias.

Reproducción
Si el estanque es lo bastante grande, pueden reproducirse por vía natural. La hembra necesita una zona de tierra caliente para cavar una hura y enterrar los huevos.

Inconvenientes
Ninguno, aunque pocas veces hay a la venta ejemplares jóvenes criados en cautividad.

◄ *Es de las pocas especies que sobreviven en estanques al aire libre en el Reino Unido.*

Glyptemys insculpta 🔲🔺🔳

Galápago de bosque

PERFIL

Es una especie semiacuática que vive dentro y en la vecindad de ríos y arroyos de aguas frías, y en campos y bosques comiendo variedad de biomasa animal y vegetal. Su caparazón es plano y sus escudos individuales, de colorido marrón, están toscamente esculpidos. El cuello y las patas delanteras son de color naranja o rojo. Los ejemplares jóvenes carecen de esa coloración y su caparazón es casi circular. Su distribución no es muy amplia, pero se encuentran a veces en las tiendas de mascotas.

Temperamento
Aparentemente inteligente, reconoce a su amo y se acerca para reclamar comida. A veces se muestra inquieta e intenta escapar.

Habitáculo
Lo mejor es conservarlas en un recinto al aire libre durante los períodos de más calor del año. Debe contar con un estanque de al menos 40 cm de profundidad, y mucha zona a la sombra. Son excelentes escaladoras y los recintos que las acogen deben estar protegidos contra predadores como gatos,

perros y aves. Bajo techo necesitan un terrario grande de al menos 2 metros cuadrados, con acceso a un gran estanque y a un solario. Los galápagos recién nacidos son fáciles de acomodar en terrarios más pequeños, con una zona terrestre y otra acuática. Cuando se mantengan bajo techo deberán tener acceso a luz UV.

Condiciones ambientales
Prefieren un entorno fresco y se pueden mantener al aire libre o en un vivero protegido de la escarcha. Hibernan bajo el agua.

Atención
De quince a treinta minutos al día.

Variedades
Ninguna, excepto una tortuga de bosque afín u originaria de América Central, la *Rhinoclemmys pulcherrima*, que a veces se vende en las tiendas y es parecida pero necesita más calor.

Cuidados
Deben comer a diario y hay que atender el cuidado

Gastos			
G. instalación			
G. corrientes			

Tamaño: 15-19 cm (caparazón)

Origen: Noroeste de América del Norte.

Vida: Al menos hasta 50 años.

general del recinto o del terrario.

Alimentación
Insectos como grillos, lombrices, fruta, verduras de hoja grande y hierbas como el diente de león.

Reproducción
No es fácil; necesitan recintos grandes y unas condiciones ideales.

Inconvenientes
La falta de ejemplares jóvenes criados en cautividad a la venta y todo el espacio que necesitan los ejemplares adultos.

◀▼ *Es una especie atractiva, activa e inteligente, pero necesita mucho espacio para vivir y para buscar comida.*

Tortuga mapa del norte

PERFIL

Estas tortugas deben su nombre al dibujo semejante al de un mapa que lucen en su caparazón, más evidente en los ejemplares jóvenes. Esta especie presenta una mancha de color amarillo claro detrás de cada ojo, además de las múltiples líneas pálidas que exhiben en la cara y el cuello. Viven en grandes ríos y lagos, donde sestean al sol sobre troncos o en las riberas. En la naturaleza se alimentan sobre todo de caracoles acuáticos y cangrejos de río.

Temperamento
Es adaptable pero tímida.

Habitáculo
Un terrario grande cuya mayor parte será acuática y una sección terrestre menor para tomar el sol.

Condiciones ambientales
Son muy resistentes; aunque prefieren temperaturas de 18-23 °C y son más activas cuando hace calor, toleran temperaturas muy bajas si fuera necesario.

▲ *En la naturaleza, las tortugas mapa suelen llevar el caparazón cubierto de algas al llegar a la madurez.*

Atención
Las adultas requieren frecuente limpieza; las jóvenes se pueden conservar en un acuario con un filtro instalado, lo que reduce mucho el tiempo que hay que dedicarles.

Variedades
Ninguna. Hay otras tortugas mapa, como la tortuga mapa del Misisipí (página 85).

Cuidados
Deben comer a diario y se limpiará el terrario con regularidad según sea necesario.

Gastos			
G. instalación			
G. corrientes			

Tamaño: 10-25 cm; hembras más grandes que los machos

Origen: América del Norte, desde los Grandes Lagos hasta el norte de Luisiana.

Vida: Muchos años, probablemente 25 o más.

Alimentación
Los ejemplares jóvenes comen gambas liofilizadas y alimentos parecidos, aunque deben comer alimentos frescos en forma de plantas acuáticas e insectos. Las adultas también comen plantas, pero prefieren caracoles acuáticos, lombrices y otros alimentos naturales.

Reproducción
No se reproducen en cautividad.

Inconvenientes
Precisan mucho espacio, mucha comida y mucha dedicación. Las hembras de gran tamaño pueden ser agresivas con los ejemplares más pequeños, incluso con los machos.

◀ *Las manchas del caparazón se aprecian mejor en las tortugas mapa criadas en cautividad.*

Graptemys pseudogeographica kohnii 🖼️🏔️☑️

Tortuga mapa del Misisipí

PERFIL

Estas tortugas presentan el típico patrón de líneas de su espaldar; si bien se distinguen con facilidad de otras especies por una media luna periorbital sobresaliente y amarilla justo detrás de los ojos. Además, presentan un nudo sobre las placas dorsales centrales que forma una cresta serrada, apreciable en los ejemplares jóvenes y que aumenta de tamaño en los adultos. Otras tortugas mapa también exhiben esta característica. Su conducta es similar a la de la tortuga mapa del norte.

Temperamento
Los ejemplares jóvenes (que suelen ser los únicos a la venta) se adaptan con relativa facilidad a la vida en cautividad.

Habitáculo
Un gran terrario con una zona acuática grande y una sección menor para sestear al sol.

Condiciones ambientales
Necesitan una temperatura de 18-23 °C, porque no son tan resistentes como otras tortugas mapa. Es esencial que tengan una lámpara de insolación para crear un área caliente de al menos 25-30 °C. También es esencial que tengan un área de exposición a luz UV. Esta especie no es adecuada para vivir al aire libre en el norte de Europa.

Atención
De diez a quince minutos al día para alimentarlas y para el mantenimiento del acuario. Las adultas requieren más tiempo.

Variedades
Ninguna.

Cuidados
Deben comer a diario (ejemplares jóvenes); hay que atender el mantenimiento del filtro y cambiar el agua según sea necesario.

Alimentación
Comida viva, como grillos, lombrices, caracoles de acuario y larvas de insectos acuáticos, además de palitos alimenticios para tortugas.

Reproducción
No se crían en cautividad.

Gastos			
G. instalación			
G. corrientes			

Tamaño: 10-25 cm (caparazón); las hembras son casi el doble de corpulentas.

Origen: Suroeste de Estados Unidos.

Vida: Muchos años, probablemente 25 o más.

Inconvenientes
Los adultos, sobre todo las hembras, son de gran tamaño y necesitan mucho espacio. Tal vez también se muestren agresivas entre ellas. Comprar ejemplares jóvenes evita este inconveniente, pero sólo temporalmente.

▼ *Recién salidas del cascarón muestran mucho carácter, aunque conseguir acomodar a las adultas requiere dotarlas de mucho espacio y dedicarles mucho tiempo.*

Trachemys scripta

Tortuga pintada, tortuga escurridiza o jicotea

Esta vistosa tortuga asume muchas formas o subespecies. Su librea suele ser verde oscuro por arriba con manchas de color amarillo o verde más claro en cada placa ósea. El plastrón es predominantemente amarillo con intrincadas manchas oscuras, mientras que las patas, el cuello y la cabeza son verdes con manchas y rayas amarillas. Las características tortugas de orejas rojas, *Trachemys scripta elegans*, exhiben una raya adicional roja o naranja detrás de los ojos. Otras especies afines son miembros del género *Pseudemys*, a veces llamadas tortugas escurridizas, y la tortuga pintada, *Chrysemys picta*. Todas estas tortugas llevan un estilo de vida similar y sus cuidados son más o menos los mismos; sólo hay que tener en cuenta las variaciones de tamaño.

Viven en aguas tranquilas, como acequias, ciénagas, estanques, ríos y arroyos

▲ *En la naturaleza, las tortugas de vientre amarillo a menudo flotan a ras de la superficie del agua.*

de curso lento, con preferencia por los lugares donde abunda la vegetación acuática.

Temperamento

Con las condiciones correctas, se adaptan bien a la vida en cautividad y superan su nerviosismo inicial, sobre todo cuando se les ofrece alimento.

Habitáculo

Las tortugas adultas necesitan un terrario grande semiacuático que mida al menos 100 × 50 cm. La altura no es importante siempre y cuando no puedan escapar por arriba. Al menos la mitad del terrario contendrá agua, con una profundidad de 30 cm o más, y el resto puede ser tierra o una plataforma de corcho, roca o madera. Dicha área necesita un foco de luz encima para que las tortugas sesteen. El agua se tiene que cambiar con frecuencia; puede ser una ventaja que haya un tapón. Según su origen, tal vez se puedan mantener algunas especies al aire libre durante al menos parte del año. Las tortugas recién nacidas necesitan terrarios menos espaciosos, pero con el tiempo ¡se harán más grandes que ese habitáculo!

▲ ▼ *La cabeza y el cuello rayados son característicos de muchas tortugas pertenecientes a esta familia, y conservan dicha librea toda la vida.*

Gastos			
G. instalación			
G. corrientes			

Tamaño: 12-20 cm (caparazón); hembras más grandes que los machos.

Origen: Este de América del Norte. La tortuga pintada llega hasta el norte de Canadá.

Vida: Muchos años, probablemente 25 o más.

Condiciones ambientales

No son especialmente delicadas y prosperan con 18-23 °C, si bien la temperatura bajo la luz de insolación debe ser más alta. También deben contar con luz ultravioleta, a menos que las tortugas se conserven al aire libre.

Atención

Las tortugas grandes dan mucho trabajo y exigen una limpieza frecuente, así como darles de comer con regularidad.

Variedades

Además de la tortuga de vientre amarillo, ocasionalmente hay a la venta otras especies parecidas, como la tortuga de orejas rojas.

Cuidados

Deben comer a diario y se limpiará el terrario cuando sea necesario.

Alimentación

Las tortugas jóvenes comen palitos alimenticios para tortugas, pero se deben complementar con grillos, lombrices, larvas de mosca *Chironomidae tetans* y otra comida natural con la mayor frecuencia posible. Los suplementos de calcio y vitaminas son importantes, al igual que la luz ultravioleta. A medida que crecen, la dieta puede cambiar a otra más herbívora, con plantas acuáticas como *Elodea*, *Callitriche stagnalis*, lentejas acuáticas y berros y, en caso de necesidad, lechuga romana.

Reproducción

Muy pocas veces se reproducen en cautividad a menos que dispongan de un estanque grande al aire libre. Los huevos no eclosionarán si no se trasladan a un lugar más cálido.

Inconvenientes

Requieren mucho espacio, alimento y dedicación, pero son mascotas que dan muchas alegrías si se les dedica tiempo.

▲ *Las tortugas de orejas rojas recién salidas del cascarón son de las de librea más vistosa y son fáciles de identificar. Son buenas mascotas, pero terminan creciendo hasta necesitar un nuevo terrario.*

Cuora flavomarginata

Tortuga de caja china

PERFIL

Es una especie con librea marrón oscuro y un espaldar sobreelevado que muestra una quilla central, a menudo con rayas naranjas o amarillas. Los bordes del caparazón se curvan hacia arriba mostrando su color amarillo. El plastrón está articulado y se ajusta con fuerza para proteger la cabeza y las extremidades. La cabeza es de un color verde oliváceo cruzada por una raya amarilla a ambos lados que va desde el cuello hasta los ojos. Vive en los límites de los cursos de agua y sus costumbres son sobre todo terrestres, aunque son buenas nadadoras.

Temperamento

Son tímidas en un primer momento, y se retraerán en su caparazón, pero terminarán domesticadas.

Habitáculo

Un terrario grande de al menos 100 × 50 cm, dividido en dos áreas: una acuática y otra terrestre. La terrestre, con múltiples lugares a la sombra para esconderse y también un solario con una lámpara de luz UV.

Condiciones ambientales

Una temperatura de 25-28 °C con un solario en que se alcancen los 30-35 °C durante el día.

Atención

De diez a quince minutos al día; más tiempo para una limpieza concienzuda del terrario.

Variedades

Ninguna, aunque otras especies de Cuora se importan en ocasiones.

Gastos		
G. instalación		
G. corrientes		

Tamaño: 10-12 cm.
Origen: Asia.
Vida: Dato desconocido, al menos 20 años.

▲ *Se encuentra pocas veces en cautividad, aunque en ocasiones se ven especies afines con requisitos similares.*

Cuidados

Tienen que comer a diario; se necesita una limpieza regular del terrario y un mantenimiento general.

Alimentación

Muy variada: ratones muertos, insectos, caracoles, bolitas de trucha, tubérculos y fruta con moderación, espolvoreada con un suplemento de vitaminas y minerales. Y una fuente independiente de calcio,

como hueso de sepia, por ejemplo.

Reproducción

Se reproducen poco en cautividad.

Inconvenientes

La falta de ejemplares jóvenes criados en cautividad. Los importados suelen tener parásitos y una salud débil. Lo mejor es dejarlas a los especialistas en tortugas.

Agrionemys horsfieldii

Tortuga rusa o tortuga de la estepa

PERFIL

Es una especie de pequeño tamaño originaria de Asia Central cuyo caparazón es más redondeado que el de la mayoría de las otras especies de tortuga terrestre. Su librea es casi siempre de color marrón amarillento, con una zona más oscura en el centro de cada escudo. Ocupa las estepas secas y por naturaleza es una especie que excava galerías; puede pasar hasta nueve meses al año bajo tierra para evitar las inclemencias meteorológicas.

Temperamento

Es de carácter inquieto y quizá intente huir de su habitáculo.

Habitáculo

El mismo que el de la tortuga mediterránea (páginas 94-5). Debe tratarse de un recinto al aire libre que impida que escape y que entren depredadores. El recinto estará en tierra seca y con buen drenaje para las

épocas de más calor del año, aunque también necesitará un espacio con mayor protección, como un invernadero o un vivero, para cuando haga frío o llueva: son muy sensibles a la humedad.

Condiciones ambientales

Calor y sequedad, como ocurre con la tortuga mediterránea. Hibernarán en invierno siempre que gocen de buena salud.

Atención

Veinte minutos al día para darles de comer, a menos que cuenten con un amplio recinto al aire libre con variedad de plantas.

Variedades

Ninguna.

Cuidados

Deben comer todos los días y se comprobará su estado general y que no tengan parásitos.

Gastos			
G. instalación			
G. corrientes			

Tamaño: Hasta 20 cm (caparazón); hembras más grandes que los machos.

Origen: Asia Central.

Vida: Muchos años, quizá más de 50.

▲ *Se suele comercializar en las tiendas, pero tiene necesidades especiales.*

Alimentación

La misma que para la tortuga mediterránea.

Reproducción

La tortuga rusa es más reacia a reproducirse en cautividad que la mediterránea, aunque las razones no están claras.

Inconvenientes

Necesitan mucho terreno al aire libre para gozar de buena salud y de una larga vida. Conseguir una buena alimentación y prepararla lleva tiempo.

89

Tortuga de patas rojas

Es una especie corpulenta originaria de las selvas de América del Sur. Su caparazón es marrón oscuro o negro con el centro de los escudos más claro y de color amarillo o naranja pálido. Los pies y la cabeza presentan escamas naranjas o rojas. Las adultas exhiben un caparazón elongado, sobre todo los machos, y puede adoptar la forma de un reloj de arena, con una «cintura» evidente a medio camino. Los machos se caracterizan por el plastrón cóncavo, como casi todas las tortugas terrestres.

▲ ▼ *Las tortugas de patas rojas, jóvenes y adultas, son tropicales y necesitan calor constante y una humedad elevada para estar a sus anchas.*

Gastos			
G. instalación			
G. corrientes			

Tamaño: 25-35 cm (caparazón).

Origen: Área septentrional de América del Sur y algunas islas del Caribe.

Vida: Muchos años, posiblemente 50 o más.

agua. Necesitan una lámpara de insolación potente, también una de luz UV, y un recipiente liso de agua limpia donde puedan refrescarse. Se puede conservar los ejemplares juveniles en terrarios más pequeños, apropiados para su tamaño.

Condiciones ambientales

Se necesita una temperatura general de 26-30 °C, mientras que la temperatura bajo la lámpara de insolación será de al menos 35 °C. Precisan una humedad más elevada que las tortugas europeas y africanas, y hay que pulverizar con agua con regularidad, si bien el sustrato no debe anegarse jamás.

Atención

De quince a treinta minutos al día.

Variedades

No hay variedades. La tortuga de patas amarillas es parecida, pero pocas veces hay en venta.

Cuidados

Deben comer a diario y se pulverizará con agua el terrario, cuya limpieza es necesaria.

Alimentación

Esta especie es omnívora y no se contentará con una dieta a base de verduras; también necesita fruta, que se le suministrará entera y con piel (plátano, etc.). También pueden tomar un poco de comida para gatos baja en grasas.

Reproducción

Su reproducción se ha logrado sólo en recintos muy amplios.

Inconvenientes

Necesitan mucho espacio y mucho tiempo de dedicación.

Temperamento

Son activas y responden a los estímulos. Se domestican con facilidad, aunque a veces lleva mucho tiempo que se acostumbren a su nuevo entorno.

Habitáculo

Necesitan recintos grandes cuando son adultas, de al menos 2 m² para un grupo reducido. El terrario contará con un sustrato de cortezas o material similar que retenga algo de humedad tras pulverizar con

Geochelone sulcata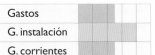

Tortuga de espolones africana

PERFIL

Es la especie terrestre de mayor tamaño; puede llegar a pesar 100 kg. El caparazón se torna de color marrón amarillento al llegar a la edad adulta, con una fina línea oscura rodeando el borde de los escudos; el caparazón de las tortugas jóvenes presenta unas demarcaciones más gruesas y un color más intenso. Habita biotopos desérticos y semidesérticos.

Temperamento
Se domestican en un alto grado, aunque según su tamaño pueden ser muy destructivas. Su recinto ha de ser de dimensiones amplias.

Habitáculo
Recintos de grandes dimensiones, al menos de 4 × 2 m, y bajo techo para los ejemplares adultos. Los jóvenes se pueden conservar en recintos más pequeños y sin techado. Necesitan calefactores potentes para uno o más solarios; una «hura» a la que retirarse, y una lámina de agua poco profunda para refrescarse. Pueden salir al aire libre los días soleados y se beneficiarán si comen hierba en crecimiento.

Condiciones ambientales
Se necesita una temperatura de 23-30 °C durante todo el año: estas tortugas no hibernan. Deben vivir en un entorno seco y lo ideal es que tengan un sustrato de paja.

Atención
Hasta una hora diaria para preparar la comida y para la limpieza.

Variedades
Ninguna.

Cuidados
Deben comer a diario y hay que atender su limpieza.

Alimentación
La misma que para la tortuga leopardo (página 92). Si la alimentación es incorrecta para cualquiera de estas especies, sobre todo por un exceso de proteínas o una carencia de calcio y vitamina

▼ *Es la más grande de las tortugas terrestres, y su apetito no le va a la zaga.*

D_3, el caparazón quizá muestre deformidades.

Reproducción
Se reproducen estacionalmente en cautividad cuando están en manos de especialistas, pero es una empresa seria y complicada.

Inconvenientes
Se necesita mucho espacio para acomodarlas; sus cuidados llevan tiempo y un considerable gasto.

Gastos			
G. instalación			
G. corrientes			

Tamaño: Hasta 80 cm (caparazón).

Origen: Mitad septentrional de África (desierto del Sáhara y el Sahel).

Vida: Probablemente más de 100 años.

TORTUGA DE PATAS ROJAS / TORTUGA DE ESPOLONES AFRICANA

Stigmochelys pardalis

Tortuga leopardo africana

Originaria de la mitad meridional de África, con un caparazón muy elevado y una atractiva librea negra y amarilla, los ejemplares recién nacidos presentan una librea más llamativa. Es una de las especies terrestres más grandes del mundo, y puede alcanzar los 40 kg de peso. Viven en variedad de hábitats en su África del Sur natal, como el matorral de las áreas semidesérticas, las colinas rocosas y las praderías secas.

Temperamento

Responden a los estímulos y se domestican bastante bien.

▲ ▼ *Son, posiblemente, las más atractivas de las tortugas terrestres a la venta. Necesitan grandes recintos.*

jóvenes también se conservan en terrarios de interior más pequeños, pero crecen con gran rapidez.

Condiciones ambientales

Lo ideal es una temperatura de 23-28 °C y buscarán temperaturas un poco mayores si cuentan con un solario. La humedad será siempre baja. Las tortugas leopardo no hibernan y necesitan una temperatura elevada y constante a lo largo de todo el año.

Habitáculo

Necesitan recintos bajo techo de grandes dimensiones, con un calefactor potente y luz ultravioleta. Se pueden sacar al aire libre los días cálidos y soleados, pero se mantendrán en un entorno seco. Deben disponer de un gran recipiente o bandeja con agua para que chapoteen. Los ejemplares

Atención

Hasta una hora diaria para preparar la comida y limpiar.

Variedades

Ninguna, aunque la tortuga de espuelas *Geochelone sulcata* (página 91) requiere unos cuidados similares (y su tamaño es incluso mayor).

Gastos		
G. instalación		
G. corrientes		

Tamaño: 60 cm (longitud del caparazón) como máximo.

Origen: Sur de África.

Vida: Muchos años, tal vez hasta 100.

Cuidados

Hay que darles de comer y limpiar a diario.

Alimentación

Es esencial que sigan una dieta rica en fibra. Al aire libre comerán hierba y plantas de jardín, si bien en los recintos a cubierto necesitan heno y verdura de hojas grandes como berros y la parte herbácea de las zanahorias. Evitaremos darles tubérculos, fruta y hojas con mucho contenido de agua, como la lechuga. Todas las comidas se espolvorearán con un suplemento de calcio y vitamina D_3.

Reproducción

Se reproducen habitualmente en cautividad, aunque mantener una colonia reproductora exige un gran compromiso.

Inconvenientes

Requieren mucho tiempo y resulta caro proporcionarles su entorno, sobre todo en invierno.

Pelodiscus sinensis

Tortuga china de caparazón blando

PERFIL

Es una especie inusual, con un caparazón de consistencia similar a la del cuero. Tiene el cuello largo y un hocico semejante a un esnórquel para poder respirar en la superficie mientras el cuerpo permanece sumergido. Tiene los pies palmeados a modo de aletas. Vive en aguas poco profundas con sustratos de arena o fango, y se cría como alimento en todo el sureste asiático.

Temperamento

Tienen mal genio. Con su largo cuello alcanzan con la boca el espaldar. Los ejemplares adultos a veces muerden si se los manipula descuidadamente.

Habitáculo

Necesitan grandes terrarios acuáticos con una profundidad equivalente a la longitud del cuello, para que puedan respirar mientras descansan en el fondo del agua. Necesitan un sustrato de arena o bien nada; se evitará usar rocas y grava. Una repisa en un extremo del terrario les proporcionará un escondrijo mientras estén en el agua, así como un lugar donde salir a tomar el sol si así lo desean. Todas las superficies deben ser lisas, para que no se dañen el delicado caparazón. Se recomienda tener una lámpara de luz UV.

Condiciones ambientales

La temperatura diurna será de 25-30 °C, aunque tolera temperaturas más bajas durante períodos cortos.

Atención

De quince a treinta minutos al día.

Variedades

A veces hay en las tiendas otras tortugas de caparazón blando, como la especie *Apalone* de América del Norte.

Gastos		
G. instalación		
G. corrientes		

Tamaño: 30 cm (caparazón).
Origen: Asia .
Vida: Dato desconocido, probablemente 25-50 años.

Cuidados

Darles de comer y limpiar a diario. Generan muchos residuos y hay que cambiar el agua a menudo. Los filtros sólo son eficaces con tortugas muy pequeñas.

Alimentación

Pescado, marisco, gambas, caracoles acuáticos, etc. También comen tiras de carne y alguna vegetación como plantas acuáticas, y fruta como melón. Las jóvenes comen insectos como grillos, espolvoreados con un suplemento de vitaminas y minerales.

Reproducción

No se reproducen en cautividad.

Inconvenientes

Necesitan acuarios grandes y hay que dedicarles mucho tiempo. ¡Muerden!

◀ *Su aspecto es inconfundible.*

Tortuga mediterránea

PERFIL

La tortuga mediterránea es una especie que solía ser más corriente en cautividad de lo que lo es ahora, debido a la legislación que la protege, aunque a menudo hay a la venta especímenes criados en cautividad. Es de color marrón amarillento o de color hueso con áreas oscuras en los escudos. Estas tortugas varían de tamaño según de dónde sean originarias, y se han identificado varias subespecies. Se diferencian de otra tortuga similar, la tortuga mora, por una gran escama en la punta de la cola y por el par de escudos inmediatamente encima de la cola: la tortuga mora carece de esta gran escama y presenta un solo escudo sobre la cola.

Vive en la campiña, en praderías y colinas de monte bajo, donde come plantas pequñas, sobre todo de la familia del guisante (legumbres). Los machos tienen un caparazón cóncavo, lo cual facilita la monta de las hembras durante la cópula. Las hembras depositan de tres a doce huevos, redondos y semejantes a pelotas de ping-pong, que eclosionan de dos a tres meses después.

Temperamento

Esta especie tan sociable tiende a medrar en cautividad mejor que otras tortugas. Los machos tratarán de escapar durante la época de celo si el recinto no es seguro y resistente, con paredes elevadas.

Habitáculo

Necesitan un recinto al aire libre que impida que escapen y que entren depredadores, de al menos 2 m^2 y esté situado en una zona de tierra seca y con buen drenaje, o

▲ *Las tortugas mediterráneas son las más familiares de las tortugas «de jardín» que ofrece el mercado.*

de lo contario la tortuga sufrirá problemas respiratorios. La altura de las paredes del recinto, que pueden ser de ladrillo o de madera, será el doble que la longitud del caparazón de la tortuga, y también se recomienda que cuente por arriba con un alero. Tal vez sea necesario techar el recinto con una malla de alambre si hay depredadores (entre otros, perros y gatos domésticos) en los alrededores. En el recinto debe haber variedad de flores silvestres, sobre todo arveja, trébol, diente de león y vellosilla, que crecen con rapidez y constituyen una buena dieta para la tortuga. Dependiendo del clima, también necesitarán un espacio más protegido, como un invernadero, para cuando haga frío y haya humedad: toleran el frío pero no la humedad. Si gozan de buena salud, se les puede dejar que hibernen en un lugar donde la temperatura no baje de 0 °C en invierno.

Condiciones ambientales

Calor y sequedad. Las temperaturas veraniegas del norte de Europa son adecuadas si se mantiene al aire

◄ *Adulta joven con el caparazón claramente marcado.*

libre, en un recinto orientado hacia el sur, aunque necesitará temperaturas más elevadas a comienzos de primavera y en otoño.

Atención

Treinta minutos al día para preparar la comida, a menos que el recinto contenga suficiente vegetación.

Variedades

La tortuga mora, *Testudo graeca*, es parecida y requiere unos cuidados similares.

Cuidados

Darles de comer y comprobar a diario que no tengan parásitos, así como fijarse en su estado general.

Alimentación

Necesitan una alimentación rica en fibra, a base de trébol, diente de león y otras plantas herbáceas, preferiblemente ingeridas mientras crecen en el recinto. La comida artificialmente formulada es muy rica en proteínas y a menudo carece de suficiente calcio, lo cual provoca un rápido crecimiento de las tortugas pero deformidades en el caparazón.

Es mejor que no coman tubérculos, como tampoco lechuga, que contiene muy pocas vitaminas y minerales. El calcio se puede añadir a la comida en forma de hueso de sepia en polvo o mediante algún suplemento alimentario específico de una marca registrada. Si las tortugas están al aire libre, deberán recibir suficiente luz solar para que asimilen el calcio, aunque, si se conservan bajo techo, necesitarán una luz ultravioleta para remplazar la luz solar. En resumen, su nutrición es un tema muy complejo, y todo el que tenga tortugas deberá contar con información relevante.

Reproducción

Suelen reproducirse en cautividad.

Inconvenientes

Necesitan un recinto de gran extensión y tienen que alojarse a cubierto cuando haga frío.

Gastos			
G. instalación			
G. corrientes			

Tamaño: 20 cm (caparazón).

Origen: Área mediterránea.

Vida: Muchos años; se afirma que más de 100 años.

▼ *Llegan a estar muy domesticadas y son de las que más alegrías dan a sus dueños. Se reproducirán en cautividad con las condiciones adecuadas.*

Sternotherus carinatus

Tortuga almizclera de quilla

Esta tortuga se distingue por la quilla que recorre longitudinalmente el espaldar y que confiere al caparazón la forma de una tienda de campaña. Otras especies también lucen una quilla, pero no en el mismo grado. Es de color marrón amarillento y de color hueso, con un dibujo de estrías oscuras en su espaldar y muchas motitas negras en la cabeza y el cuello. Su pico es ganchudo, propio de todos los miembros de esta familia. Vive en arroyos y ciénagas, y pasa mucho tiempo tomando el sol.

Temperamento
Aunque se muestren beligerantes en la naturaleza, en cautividad se sosiegan pronto y dan mucho juego.

Habitáculo
Idéntico al de la tortuga almizclera común (página 97).

▲ *Las tortugas almizcleras recién nacidas son diminutas, pero tienen buen apetito y crecen con rapidez.*

Condiciones ambientales
Una temperatura del agua de por lo menos 23 °C y una lámpara de luz UV para sestear. Los ejemplares jóvenes sestean menos al sol que los adultos y se pueden acomodar en un acuario con un calefactor y un termostato, así como con un filtro mecánico.

Atención
Diez minutos al día para alimentarlas, y, de vez en cuando, períodos más largos dedicados a la limpieza.

Gastos			
G. instalación			
G. corrientes			

Tamaño: 8-10 cm.
Origen: Suroeste de Estados Unidos.
Vida: Probablemente 25 años o más.

Variedades
Ninguna, aunque otras tortugas almizcleras y las de ciénaga, con las que guardan similitudes, se hallan cada cierto tiempo en las tiendas.

Cuidados
Deben comer a diario y hay que atender el mantenimiento del filtro o el cambio de agua.

Alimentación
Los palitos alimenticios para tortugas son adecuados, pero la dieta se completará con lombrices y

▲ *La prominente cresta con forma de quilla da nombre a esta especie.*

alimentos acuáticos vivos como larvas de mosca *Chironomidae tetans.*

Reproducción
La reproducción debería ser posible, aunque pocas veces se intenta.

Inconvenientes
Ninguno, salvo la falta de ejemplares criados en cautividad. Una buena mascota de elección si se cuenta con espacio limitado.

Sternotherus odoratus

Tortuga almizclera común

PERFIL

Poseen un caparazón liso, cóncavo y elongado visto por arriba. El espaldar es de un color uniforme negro o marrón oscuro, y la cabeza y las patas también son oscuras, excepto por un par de rayas periorbiculares de color crema por encima y debajo de los ojos. En la naturaleza, las tortugas viejas suelen estar cubiertas por una capa de algas filamentosas, lo cual sin duda mejora su camuflaje. Prefieren las aguas tranquilas y pasan el tiempo caminando por el fondo o encaramándose por troncos inclinados para tomar el sol.

Temperamento
A veces tienen mal genio y las grandes pueden infligir dolorosos mordiscos, pero se adaptan pronto a la vida en cautividad.

Habitáculo
Lo ideal es un terrario con una zona acuática y una rama o plataforma para que tome el sol. Su tamaño dependerá de la edad y de la cantidad de tortugas, aunque, al ser pequeña, esta especie no es tan exigente como otras con el tema del espacio.

Condiciones ambientales
Necesitan que la temperatura del agua sea 20-23 °C, y que el área para sestear alcance por lo menos los 30 °C durante parte del día. Los ejemplares jóvenes se pueden calentar con un pequeño calefactor con termostato para acuarios. El terrario dispondrá de una lámpara de luz UV para las que sesteen.

Atención
Diez minutos al día para darles de comer y, cada cierto tiempo, períodos más largos para la limpieza.

Variedades
Ninguna. A veces se venden otras tortugas almizcleras en las tiendas, entre ellas la tortuga almizclera de quilla (página 96).

Cuidados
Deben comer a diario y hay que dedicar tiempo de vez en cuando al mantenimiento del filtro y al cambio del agua.

Alimentación
Palitos alimenticios, pero no sólo eso. La dieta se complementará con lombrices y alimentos acuáticos vivos, como larvas de moscas.

Reproducción
Se ha logrado que se reproduzcan, pero no es lo habitual..

Inconvenientes
Es una de las mejores tortugas para ser mascota. No utiliza sus glándulas almizcleras en cautividad.

Gastos			
G. instalación			
G. corrientes			

Tamaño: 8-12 cm.

Origen: Mitad oriental de América del Norte.

Vida: Hasta 25 años o más.

▲ *Una vieja tortuga almizclera con el caparazón desgastado por el tiempo.*

▼ *Aunque no destaquen por su colorido, tienen carácter y son buenas mascotas.*

Chelus fimbriatus

Tortuga matamata

Originaria de América del Sur, de cuello de serpiente, estrambótica e interesante, presenta un caparazón marrón rojizo y exhibe tres quillas longitudinales. La cabeza y el cuello son las partes más interesantes, achatadas, festoneadas con colgajos carnosos, y el hocico es largo y puntiagudo, con las ventanas nasales en la punta para que respire mientras está sumergida. Sus hábitos son casi siempre acuáticos y vive en los fondos fangosos de las aguas estancadas.

Temperamento
Se muestran perezosas y tardas, excepto cuando comen.

Habitáculo
Necesitan un terrario acuático grande, o, mejor dicho, un acuario, con entre 5 y 30 cm de agua, dependiendo del tamaño de la tortuga. Requieren un sustrato blando de arena u hojas muertas, así como trozos de madera de deriva que le sirvan de escondrijo. Se puede usar un filtro para mantener el agua limpia, pero sin que cree demasiadas turbulencias; las tortugas matamata prefieren las aguas estancadas o de curso lento.

Condiciones ambientales
Necesitan una temperatura constante de 25-28 °C a ras del agua. El agua debe ser ácida (se recomienda un pH de 5 a 5,5) y contener taninos, por lo que su aspecto es el de un té claro. Se recomienda una lámpara de luz

▼ *Con el cuello festoneado y una cabeza triangular, es una de las especies de tortuga más extrañas.*

Gastos			
G. instalación			
G. corrientes			

Tamaño: 30-40 cm.

Origen: América del Sur.

Vida: Dato desconocido.

UV, pero tampoco es esencial en todos los casos.

Atención
De diez a veinte minutos al día.

Variedades
Ninguna. ¡Es una tortuga única!

Cuidados
Hay que controlar a diario la temperatura y las condiciones del acuario. Un filtro ayuda, pero la limpieza manual es a veces inevitable

Alimentación
Peces, que deben estar vivos o parecer que lo están. Los ejemplares jóvenes a veces comen lombrices e invertebrados acuáticos.

Reproducción
Se reproducen sólo en muy pocas ocasiones.

Inconvenientes
Si están a la venta, son caras, y es difícil procurarles las condiciones correctas. Precisan un aporte constante de peces vivos. Mejor dejárselas a los expertos.

Emydura subglobosa

Tortuga payaso

PERFIL

Esta especie es originaria de Australia y Nueva Guinea, aunque las que se venden en las tiendas son de la subespecie procedente de Nueva Guinea. Pertenece a un grupo de tortugas que retraen la cabeza torciéndola hacia un lado, en vez de retrayéndola directamente en el caparazón tal como hacen la mayoría de las especies. Las tortugas recién nacidas lucen un colorido muy vistoso, con manchas naranjas en la cabeza y el espaldar, aunque pierden esos colores brillantes a medida que crecen.

Temperamento

Se adaptan a la vida en cautividad y se vuelven más atrevidas al crecer.

Habitáculo

Igual que para la tortuga pintada o escurridiza (páginas 86-7), si bien esta especie requiere calor constante. Es muy importante un solario con una lámpara de insolación y una fuente de luz UV.

Condiciones ambientales

Se necesita una temperatura del agua constante, de unos 25 °C, y en el solario bajo la lámpara de insolación deberá subir por lo menos hasta 30 °C durante el día.

Atención

De cinco a diez minutos diarios para darles de comer, y períodos más largos para el mantenimiento del tanque de agua.

Variedades

Ninguna. Las tortugas de cuello de serpiente, de cuidados parecidos, se encuentran a veces a la venta.

Cuidados

Deben comer a diario. Un filtro mantendrá limpia el agua del tanque, aunque, cuando crezcan, el cambio del agua deberá ser más frecuente.

◄ *A medida que crecen, sus brillantes colores se van apagando.*

Gastos		
G. instalación		
G. corrientes		

Tamaño: Hasta 25 cm.

Origen: Australia y Nueva Guinea.

Vida: Muchos años, probablemente más de 25.

Alimentación

Las tortugas jóvenes son sobre todo insectívoras, aunque también comen palitos alimenticios para tortugas. Las adultas comen asimismo verduras de hoja verde y un poco de fruta. Hay que añadir a los alimentos vitaminas y minerales, sobre todo calcio.

Reproducción

La reproducción es posible, pero se requiere un recinto amplio.

Inconvenientes

Las adultas necesitan terrarios grandes y no tienen tanta vistosidad cromática como las jóvenes.

▲ *Estas tortugas arquean mucho el cuello hacia un lado cuando quieren esconder la cabeza en el caparazón.*

Lagartijas y lagartos

■ Son reptiles estrechamente emparentados con las serpientes. En la actualidad hay 5.634 especies reconocidas, aunque varían tanto en tamaño, forma y colores que resulta difícil generalizar. La mayoría presenta cuatro extremidades, aunque algunas especies sólo tienen dos y otras ninguna. Las escamas tal vez sean ásperas o lisas, grandes o pequeñas, y de casi todos los colores imaginables. Las especies más pequeñas son del tamaño de la cabeza de una cerilla, mientras que las más grandes alcanzan los 3 m de longitud y pesan 70 kg.

■ Los lagartos que viven en cautividad son igualmente diversos, lo cual significa que algo deben tener que llame la atención. Especies como los dragones barbudos y los geckos leopardo casi se han llegado a domesticar, habiendo toda suerte de variedades cromáticas, mientras que otras están muy especializadas y sólo unos pocos seguidores las preservan en cautividad. Los geckos son muy populares, al igual que los camaleones, aunque estos últimos hay que dejárselos a los expertos, con excepción de una o dos especies que se adaptan y se crían bien en cautividad.

■ Los terrarios para lagartijas y lagartos se componen en sus modelos más sencillos de una caja pequeña de plástico con agujeros de ventilación y un sustrato de arena o toallitas de papel; los de este tipo son útiles para criar ejemplares jóvenes o para poner en cuarentena las nuevas adquisiciones. Las especies grandes necesitan recintos muy grandes, hasta del tamaño de un invernadero, o bien jaulas de zoológico en un lugar bajo techo. No obstante, la mayoría de las especies se pueden mantener en terrarios de madera o de cristal de tamaño moderado.

■ Lagartijas y lagartos se muestran a veces activos durante el día o por la noche; muchas especies diurnas requieren un equipo especializado de luz ultravioleta para proporcionarles vitamina D_3 (consulta, por favor, la sección dedicada a las tortugas para saber más sobre este tema). Casi todas las especies necesitan calor suplementario, mientras que las especies desérticas en particular requieren temperaturas muy altas y lámparas de insolación potentes. Como regla general, la calefacción debe situarse en un extremo del terrario para crear un gradiente térmico; así, los lagartos pueden pasar de más a menos calor según lo necesiten, y disminuye el peligro de que estén expuestos a demasiado calor o demasiado frío. Las especies nocturnas requieren calor procedente del suelo, aunque esa fuente de calor también deberá concentrarse sólo en un extremo del terrario.

■ Igualmente, para muchas especies es necesaria una fuente de humedad, pues incluso las desérticas excavan galerías hasta un nivel donde la arena o el suelo conservan algo de humedad. Una forma adecuada de conseguirlo es proporcionar a las especies desérticas una caja de humedad escondida con una capa de musgo o vermiculita que se mantenga un poco húmeda, y tenga un agujero angosto para que no pierda la humedad ni se seque. La usarán si tienen necesidad, como cuando mudan de piel (y también para la puesta de huevos). El resto del terrario se mantendrá seco. Otras especies necesitan mucha humedad en el terrario, y hay que pulverizarlo con frecuencia con agua o poner una o dos veces al día un sistema automático de vaporización que eleve la humedad durante una hora o más. Los camaleones se benefician de estos dispositivos, si bien otras especies, como los dragones de bosque y los anolis, también exigen un hábitat húmedo.

■ Las lagartijas y lagartos son carnívoros, herbívoros u omnívoros. Las necesidades alimentarias se describen al hacer la relación de cada especie En cajas con buena ventilación mantendremos alimentos vivos como grillos, que alimentaremos con comida nutritiva hasta que se los demos a nuestra mascota. A continuación, la comida se espolvoreará con un suplemento de vitaminas y minerales para reptiles de los muchos que hay a la venta en el mercado. Las especies herbívoras deben contar con variedad de plantas de hoja grande, así como hierbas de jardín tipo diente de león, etc. La lechuga contiene muy pocos nutrientes, excepto agua, y no debe dárseles, o bien en poca cantidad. Una vez más, es esencial que tomen un suplemento de vitaminas y minerales.

Acanthosaura crucigera

Lagarto espinoso enmascarado

PERFIL

Los dragones cornudos, también llamados dragones de bosque, confían en su camuflaje y no son tan activos como otros miembros de la familia. Poseen una fila de espinas que empieza detrás de la cabeza y recorre longitudinalmente toda la espalda, por lo que también reciben el nombre de lagartos espinosos. Los machos presentan espinas cortas periorbitarias. Su librea es predominantemente verde o marrón olivácea, y los ojos son de un naranja brillante. Son lagartos de bosque y sus hábitos son arbóreos, pues viven en los troncos verticales de los árboles y en las ramas, y rara vez descienden al suelo en la naturaleza.

Temperamento

Son tranquilos si se sienten seguros en un terrario con abundante vegetación, pero se azoran fácilmente en espacios abiertos.

Habitáculo

Necesitan terrarios grandes y altos, de al menos 1 m de altura, y muchas ramas inclinadas o verticales rodeadas de vegetación y hojas para sentirse a cubierto. El sustrato puede ser de cortezas y habrá un recipiente grande con agua para refrescarse. Se necesita una lámpara de insolación y otra de luz ultravioleta.

Condiciones ambientales

No debe hacer demasiado calor: una temperatura de 18-22 °C durante el día, que podrá descender un poco por la noche. Con una

lámpara de insolación podrán elevar la temperatura corporal si fuese necesario. Es esencial pulverizar regularmente el terrario con agua para elevar la humedad, aunque la ventilación tiene que ser buena.

Atención

De diez a veinte minutos al día.

Variedades

Ninguna. En ocasiones las tiendas también venden otras especies de acantosaurios, de cuidados similares.

Gastos			
G. instalación			
G. corrientes			

Tamaño: Hasta 30 cm.

Origen: Sureste asiático.

Vida: Dato desconocido, probablemente 5-10 años.

Cuidados

A diario hay que darles de comer, pulverizar con agua el terrario y vigilar en general a los lagartos y su entorno.

Alimentación

Insectos como grillos y langostas. Las comidas, espolvoreadas con un preparado de vitaminas y minerales.

Reproducción

Muy pocas veces se reproducen en cautividad.

Inconvenientes

La falta de ejemplares criados en cautividad y el gran espacio vertical que necesitan.

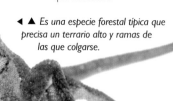

◀ ▲ *Es una especie forestal típica que precisa un terrario alto y ramas de las que colgarse.*

Clamidosaurio o lagarto de gorguera

PERFIL

De gran tamaño, es originario de Australia y Nueva Guinea y debe su fama a la amplia gorguera que se abre como un paraguas cuando la extiende, así como a su capacidad para ponerse de pie sobre los cuartos traseros y así correr con rapidez (locomoción bípeda). De librea sobre todo gris y moteada, algunos muestran manchas de color rojo o naranja en la gorguera, aunque pocas veces los ejemplares domesticados despliegan esta conducta.

Temperamento

Muy adaptables, se domestican bien, hasta el punto de acercarse a sus amos para comer.

Habitáculo

Se necesitan terrarios muy grandes, de 2 × 1 × 1,5 m de altura como mínimo. Deben contar con ramas robustas para poder trepar. Un sustrato de cortezas sin serrín ni polvo, mezcladas con arena si se desea, retendrá suficiente humedad, y no deberá faltar un recipiente grande con agua. Se necesita una lámpara de insolación potente y una lámpara de luz ultravioleta.

Condiciones ambientales

Necesitan una temperatura ambiente de 20-25 °C, que por lo menos ascenderá hasta 35 °C bajo la lámpara de insolación. La humedad debe ser elevada al menos durante parte del día, y el terrario estará bien ventilado.

▼ *Incluso los ejemplares jóvenes pueden desplegar su gorguera, cada vez más impresionante a medida que crecen. Los animales en cautividad son tranquilos y rara vez exhiben este apéndice.*

Atención

De quince a treinta minutos al día.

Variedades

Ninguna. La mayoría de las colonias de ejemplares criados en cautividad son originarias de Nueva Guinea, pero son parecidos a los de Australia y tienen las mismas necesidades.

Cuidados

Darles de comer, pulverizar con agua y rellenar el recipiente de agua a diario.

Alimentación

Insectos, como grillos y langostas, espolvoreados con un suplemento de vitaminas y minerales. Los más grandes comen ratones perfectamente descongelados.

Reproducción

Se reproducen bien en cautividad si cuentan con espacio suficiente.

Inconvenientes

Precisan mucho espacio y mucha dedicación.

Gastos			
G. instalación			
G. corrientes			

Tamaño: Hasta 60 cm o más.

Origen: Australia y Nueva Guinea.

Vida: Dato desconocido, probablemente más de 10 años.

Lagarto de jardín oriental

Lagarto de amplia distribución geográfica por el sur de Asia, aparece subido a los postes de las vallas, en árboles y edificios. También recibe el nombre de «chupasangre», por la gorguera de escamas rojas que lucen los machos durante la época de celo. Despliegan una larga cola y tienen las patas largas. Su cabeza es angulosa, exhiben una cresta de espinas en el cuello y el resto de las escamas que cubren su cuerpo están aquilladas, lo que les confiere un aspecto espinoso.

Temperamento

Nerviosos y de movimientos rápidos, se adaptan y tranquilizan en cautividad si tienen suficiente espacio.

▲ ▼ *Los machos lucen una gorguera de color rojo brillante (arriba) durante la época de celo, mientras que las hembras y los ejemplares jóvenes carecen de ella y tienen la cabeza más pequeña.*

Gastos				
G. instalación				
G. corrientes				

Tamaño: Hasta 35 cm, gran parte corresponden a la cola.

Origen: Asia meridional.

Vida: Dato desconocido, pero al menos 5 años.

Habitáculo

Un terrario grande y alto que mida al menos 100 × 60 × 100 cm de altura. Debe estar tapizado con corcho o tener ramas diversas de corteza áspera, para que puedan descansar verticalmente. El sustrato será de corteza de orquídeas o corteza para reptiles, arena o una mezcla de ambas, y una profusa vegetación con plantas vivas o de plástico le ofrecerá escondrijos. Son esenciales una lámpara de insolación y otra de luz ultravioleta.

Condiciones ambientales

Una temperatura de 20-25 °C de día, que puede bajar por la noche. Una lámpara de insolación permite que eleven su temperatura si es necesario. Hay que pulverizar con agua regularmente para elevar la humedad, pero también ventilar.

Atención

De diez a quince minutos al día.

Variedades

Ninguna. Hay otras especies de *Calotes*, pero en muy pocos casos se importan ejemplares.

Cuidados

Alimentarlos a diario y pulverizar agua. También hay que limpiarlo.

Alimentación

Insectos grandes, como grillos y langostas, larvas del lepidóptero *Pyralidae* y ratones pequeños. Necesitan suplementos de vitaminas y minerales.

Reproducción

Es poco probable que se reproduzcan en cautividad.

Inconvenientes

Necesitan mucho espacio y los ejemplares jóvenes criados en cautividad son difíciles de adquirir.

Physignathus cocincinus

Dragón de agua chino

PERFIL

Es un lagarto grande y verde que mucha gente escoge como mascota. Lleva una vida semiacuática y semiarbórea en las orillas de los cursos de agua del sureste asiático, donde se zambulle con rapidez si siente la menor amenaza. Su habitáculo necesita reflejar esa forma de vida. Los machos son más grandes que las hembras, lucen una cresta en el cuello y tienden a mostrar mayor vistosidad cromática.

Temperamento

Los animales criados en cautividad son de temperamento plácido y se domestican con rapidez, si bien los ejemplares salvajes son nerviosos y aporrean las paredes del terrario con el hocico en sus esfuerzos por escapar.

Habitáculo

Necesitan terrarios grandes, que midan como mínimo 1 × 1 × 1 m para uno o dos adultos.

Condiciones ambientales

Se precisa una temperatura ambiente de 25-30 °C, y el área bajo la lámpara de insolación deberá alcanzar 35 °C por lo menos. La humedad es importante, pero deberá bastar con dotar el terrario con una gran área de agua.

Atención

De quince a treinta minutos al día, y períodos más largos para una limpieza a fondo del terrario.

Variedades

Ninguna.

Cuidados

Deben comer a diario y también es necesaria la limpieza del terrario. El agua debe estar limpia, tarea que facilitará alguna forma de drenaje.

Alimentación

Insectos, como grillos y langostas, espolvoreados con un suplemento de vitaminas y minerales.

Reproducción

Se reproducirán sin problemas si cuentan con mucho espacio en el terrario. Los machos son territoriales, por lo que los grupos reproductores pueden consistir en un par de machos y de dos a cuatro hembras.

Inconvenientes

Necesitan mucho espacio y el paisaje del terrario tiene que ser elaborado.

Gastos				
G. instalación				
G. corrientes				

Tamaño: 60-90 cm, sobre todo de cola. Los machos son mucho más grandes.

Origen: Sureste asiático.

Vida: Al menos 10 años en cautividad.

◄ *Los dragones de agua chinos son grandes, de vistoso colorido e impresionantes. Prosperarán en cautividad si el terrario es lo bastante amplio.*

Dragón de agua australiano

PERFIL

La librea de este dragón de agua no es de colorido tan vistoso como la del dragón chino, aunque los adultos desarrollan manchas rojizas en la garganta y el pecho. Por lo demás, esta especie es de color marrón oliváceo con una franja oscura en el rostro y manchas oscuras adicionales en la espalda. Con una cresta de pequeñas escamas en punta, el cuerpo y la cola se achatan lateralmente para facilitar la natación. Ocupan los cursos de agua de Australia, donde se zambullen con rapidez en el agua para escapar de sus depredadores.

Temperamento

Pueden ser nerviosos y propensos a huir por todo el terrario si se los molesta, aunque se domesticarán si disfrutan de mucha cobertura y escondrijos, y si se les acostumbra a que los manipulen.

Habitáculo

Es parecido al del dragón de agua

▲ *Los machos lucen una garganta teñida de tonos rosáceos. Esta especie se adapta a muchos entornos, pero requiere un terrario grande con multitud de apostaderos y escondrijos.*

chino (página 105), aunque esta especie puede estar al aire libre los días calurosos del verano, por ejemplo, en un invernadero.

Condiciones ambientales

Son similares a las del dragón de agua chino, aunque esta especie tolera mejor el frío, y se puede dejar que los ejemplares adultos hibernen. Los dragones jóvenes estarán todo el año en terrarios más pequeños y más cálidos.

Variedades

Hay dos subespecies, de las cuales sólo una, el dragón de agua australiano (*Physignathus lesueurii*), se encuentra en las tiendas. Es la subespecie de mayor colorido.

Cuidados

Deben comer a diario, y también es necesaria la limpieza del terrario. El agua se debe mantener limpia, por lo que algún tipo de drenaje puede ayudar a que sea más fácil.

Atención

De quince a treinta minutos al día, y más tiempo para la limpieza del terrario.

Gastos			
G. instalación			
G. corrientes			

Tamaño: 75-100 cm; machos más grandes que hembras.

Origen: Australia

Vida: Dato desconocido, probablemente 10-20 años.

▲ *Es una especie de aspecto impresionante y gran tamaño.*

Alimentación

Sobre todo insectos como grillos, aunque los adultos a veces comen fruta y verdura y, de vez en cuando, comida enlatada para perros y gatos.

Reproducción

Se reproducen en cautividad, pero no es fácil.

Inconvenientes

Como el dragón de agua chino, necesitan mucho espacio y un paisaje elaborado en el terrario.

Pogona henrylawsoni

Dragón barbudo enano

PERFIL

Esta especie es más pequeña que el dragón barbudo de la Australia interior (*véanse páginas 108-9*), y ni la barba ni las filas de escamas espinosas de los flancos están tan desarrolladas. La cabeza es proporcionalmente más pequeña y más redonda. Su librea suele ser marrón amarillento claro, y la garganta y el vientre son más claros, casi blancos. Ocupa las regiones desérticas del interior de Australia y vive en llanuras sin árboles. Se ve menos que su familiar más conocido y no presenta variantes cromáticas. Pese a todo, esta especie es más sencilla de acostumbrar a la vida en cautividad, porque es más pequeña y es una buena mascota.

▲ ▼ *El dragón barbudo enano es más pequeño y de complexión más delicada que el dragón barbudo de la Australia interior.*

Gastos			
G. instalación			
G. corrientes			

Tamaño: Hasta 24 cm.

Origen: Australia central.

Vida: Muchos años, probablemente 10 o más.

Temperamento

Tranquilos y fáciles de domesticar. Son de hábitos diurnos y activos. Menos competitivos entre sí que los dragones barbudos de la Australia interior, viven en armonía en grupos reducidos compuestos por un macho y varias hembras.

Habitáculo

Parecido al del dragón barbudo; el terrario puede ser más pequeño.

Condiciones ambientales

Las mismas que para el dragón barbudo de la Australia interior.

Atención

De quince a treinta minutos diarios para darles de comer, pulverizar con agua y limpiar el terrario. El tiempo dedicado a que se acostumbren a que los toquen estará bien invertido.

Variedades

Ninguna.

Cuidados

Darles de comer y limpiar a diario algún punto del terrario. De vez en cuando, más tiempo para una limpieza completa.

Alimentación

Insectos como grillos cuando son jóvenes, y se irán introduciendo plantas al ir creciendo. Es esencial un suplemento de vitaminas y minerales.

Reproducción

No es tan sencilla como la de los dragones barbudos de la Australia interior, por razones que no están claras, y no son tan prolíficos, aunque una atención cuidadosa a la alimentación y al ciclo de la luz y la temperatura culminará con éxito.

Inconvenientes

Ninguno, aunque no son tan fáciles de encontrar como los dragones barbudos de la Australia interior.

Dragón barbudo de la Australia interior

PERFIL

Es uno de los reptiles más populares, hasta el punto de que todos los interesados en tener un reptil por mascota están familiarizados con él. En la naturaleza, su librea es parda o marrón amarillenta, con un dibujo indiferenciable de manchas más oscuras, pero más definido en los ejemplares jóvenes. Presentan una fila de escamas apuntadas en los flancos, delimitando claramente el borde de la superficie dorsal, y otra fila o cresta alrededor de la nuca. No obstante, la característica que les da su nombre es la garganta, que se hincha cuando están alterados, con lo cual las escamas se rizan formando una «barba». Los ejemplares en cautividad pocas veces erizan estas escamas.

Viven en hábitats secos con bosques poco poblados y a menudo utilizan los postes de las vallas y los tocones de los árboles como apostaderos para vigilar su entorno y lanzarse en persecución de cualquier presa potencial. Cuando toman el sol, aplastan el cuerpo y lo orientan hacia el sol para calentarse más rápido. Se comunican mediante una serie de movimientos, como inclinaciones de cabeza y balanceos de los brazos, por lo que son una de las especies más interesantes de observar y escoger como mascota.

Temperamento

Ha demostrado ser muy adaptable, y es fácil de mantener y conseguir que se reproduzca en cautividad. Se puede manipular sin peligro, siempre con cuidado, incluso tratándose de principiantes. Estos dragones se domestican fácilmente y se acercarán a sus amos para comer.

Habitáculo

El requisito mínimo es un terrario que mida 120 × 60 × 60 cm para una pareja o un grupo reducido de dragones adultos; si es más grande, mucho mejor. No obstante, los dragones jóvenes se mantendrán en terrarios proporcionalmente más pequeños para que encuentren la comida con más facilidad, y luego podrán trasladarse de manera gradual a otros más

▲ *Un atractivo dragón barbudo de tonos rojizos.*

grandes. El terrario tiene que estar dotado de un sustrato como arena para reptiles y algunas rocas y madera de deriva para que los lagartos tomen el sol y exhiban una conducta natural. Es esencial que cuente con una lámpara de insolación potente y otra de luz ultravioleta.

Condiciones ambientales

Necesitan calor y sequedad. Requieren una temperatura ambiente mínima de 20-25 °C, y de 30-40 °C justo debajo de un foco de luz que se mantendrá siempre encendido durante el día. Un recipiente somero con agua les proporcionará suficiente humedad, y el terrario deberá estar bien ventilado.

▼ *Los jóvenes exhiben manchas más vistosas.*

Atención

Requieren un tiempo considerable, hasta treinta minutos diarios para la alimentación y la limpieza por partes del terrario, tiempo que aumentará cuando haya que limpiar de una vez todo el terrario.

Variedades

Se conocen variedades de diferencias cromáticas, con nombres muy descriptivos por parte de los criadores, y siempre están apareciendo nuevas variantes por medio de una crianza selectiva.

Cuidados

A diario hay que darles de comer y comprobar su estado de salud, cambiar el agua del recipiente y medir la temperatura. Es necesario mantener limpio el terrario.

▲ *Un dragón barbudo atrapa un grillo con la lengua. También comen algo de vegetación.*

▶ *Los dragones barbudos aplastan sus cuerpos cuando sestean bajo una lámpara de insolación.*

Gastos			
G. instalación			
G. corrientes			

Tamaño: 30-50 cm, casi la mitad de cola.

Origen: Australia.

Vida: Hasta 10 años.

Alimentación

Los dragones jóvenes comen sobre todo insectos pequeños, como grillos; los adultos comen también plantas. Todas las comidas, espolvoreadas con un preparado de vitaminas y minerales.

Reproducción

Se reproducen fácilmente en cautividad, con lo cual siempre hay en las tiendas ejemplares jóvenes en venta. Las hembras depositan grumos de veinte o más huevos en diferentes ocasiones durante la misma época de celo, siempre y cuando estén bien alimentadas y cuidadas.

Inconvenientes

Aunque los dragones barbudos de la Australia interior son mascotas excelentes, necesitan mucho espacio y equipamiento especial, y mucho tiempo para su correcto mantenimiento.

Lagarto de Geyr Dabb

PERFIL

De vez en cuando se importa cierto número de lagartos de cola espinosa, de los cuales éste es uno de los más corrientes. En cualquier caso, todos se conservan del mismo modo en cautividad. Tienen la cabeza pequeña y el hocico respingón, lo cual les confiere un poco la apariencia de tortugas. Su librea es parda o marrón amarillenta y así se confunden con su entorno natural. Algunas especies tienen más cromatismo. El cuerpo es ancho y rechoncho, y la cola está fuertemente armada con anillos de escamas espinosas. Estos lagartos son miembros de la familia agama, aunque llevan un estilo de vida muy especializado; se alimentan enteramente de vegetación y viven en colonias. Excavan todo un sistema de túneles que contienen madrigueras: usan la cola para bloquear los túneles y rechazar a los enemigos. Viven en las áreas septentrionales de África y en Oriente Medio, donde los veranos son muy cálidos y los inviernos muy fríos, y donde hibernan largos períodos para evitar el frío.

▲ *Lagarto de Geyr Dabb,* Uromastyx geyri.

Temperamento

Tímidos por naturaleza, se adaptan a la vida en cautividad si las condiciones son correctas.

Habitáculo

Se necesitan terrarios muy grandes, que midan al menos 2 × 1 m de superficie. El sustrato será de grava, con montículos de rocas grandes para que tomen el sol;

▲ *Lagarto de cola espinosa del Sahara,* U. acanthinurus.

una lámpara de insolación enfocará por lo menos uno de estos montículos de rocas, y también habrá otra de luz ultravioleta. Se precisa algún medio para estimular su tendencia natural a refugiarse por la noche en galerías excavadas, como una cueva hecha con rocas o grandes secciones de loza, tuberías o algo similar.

Condiciones ambientales

Necesitan temperaturas elevadas: 25-30 °C de día y 40-50 °C bajo la lámpara de insolación, para digerir los alimentos, y no mostrarán mucha actividad a largo plazo si éstas son inferiores. Las lámparas de insolación se colocarán en un extremo del terrario, para que los lagartos se puedan retirar a un lugar más fresco si lo desean. La humedad será baja, aunque habrá un recipiente somero con agua para que puedan refrescarse.

Atención

De quince a treinta minutos al día para darles de comer y pasar revista a su entorno.

Variedades

Este lagarto puede ser de color rojizo, además de exhibir la típica librea amarilla. Junto al lagarto de Geyr Dabb, hay otras especies a la venta de vez en cuando, como el lagarto de cola espinosa del Sahara, *U. Acanthinura*; el lagarto de las palmeras, *U. ornata,* y el lagarto ocelado del Atlas, *U. ocellata.*

Cuidados

A diario hay que darles de comer, cambiar el agua del recipiente y limpiar el terrario por partes. De vez en cuando habrá que limpiar a fondo todo el terrario.

Alimentación

Verduras de hoja verde, como col rizada, berros, dientes de león y tréboles, así como guisantes y judías (con las vainas). Las flores amarillas, sobre todo las del diente de león, les encantan. Los ejemplares jóvenes tal vez tomen algunos insectos, pero habrá que dárselos cada cierto tiempo. Todas las comidas se espolvorearán con un suplemento de vitaminas y minerales.

Gastos		
G. instalación		
G. corrientes		

Tamaño: 35-40 cm.
Origen: África septentrional.
Vida: Muchos años, posiblemente hasta 25.

▲ *El lagarto de cola espinosa del Sahara es una de las especies más grandes y de colorido más vistoso. Los adultos pueden ser de librea amarilla o roja.*

Inconvenientes

La tremenda cantidad de espacio y el tiempo que hay que dedicarles para que estén bien cuidados. A veces hay a la venta ejemplares jóvenes criados en cautividad, pero son caros. Los capturados en la naturaleza suelen tener muchos parásitos y son muchos los ejemplares que mueren al cabo de unas pocas semanas o meses.

▲ *El lagarto ocelado del Atlas, U. ocellata, es una especie pequeña y atractiva.*

Reproducción

Se necesita mucho tiempo y dedicación para que se reproduzcan, aunque suelen criar con regularidad, y así se consigue lentamente una colección de jóvenes nacidos en cautividad.

Lagarto mariposa chino

PERFIL

El lagarto mariposa chino es una de las siete especies de este género cuyo hábitat es parecido. Viven en hábitats secos y calurosos, y excavan huras para protegerse del sol. Esta especie luce una librea muy variada, pero suele ser marrón, con motitas y franjas más claras en la cabeza y el cuerpo. Otras especies poseen flancos de gran colorido que exhiben achatando el cuerpo; de ahí su nombre de lagartos «mariposa».

Temperamento
Suelen ser tranquilos, aunque proclives a cierto nerviosismo inicial.

Habitáculo
Un terrario grande de unos 60 × 45 × 30 cm es lo mínimo para una pareja. Debe contar con un sustrato de arena y multitud de escondrijos, pues de lo contrario los lagartos serán presa del pánico cuando alguien se aproxime. Son esenciales una lámpara de insolación potente y otra de luz UV.

Condiciones ambientales
Lo ideal es una temperatura ambiente de 20-25 °C y un área bajo una lámpara de insolación donde haya al menos 35 °C. La humedad debe ser baja, pero siempre habrá un recipiente somero con agua.

Atención
De diez a quince minutos al día.

Gastos			
G. instalación			
G. corrientes			

Tamaño: Hasta 45 cm.
Origen: Este de Asia, sobre todo China.
Vida: Dato desconocido.

Variedades
Las otras seis especies aparecen de tanto en tanto en las tiendas de mascotas. La *L. belliana* posiblemente sea la más colorida, y *L. guttata* la más grande. Poco se sabe sobre estos lagartos, aunque sus cuidados deberían ser muy parecidos.

Cuidados
A diario hay que alimentarlos y cuid del mantenimiento del terrario.

Alimentación
Sobre todo insectos, como grillos, aunque algunos también ingieren plantas, especialmente flores amarilla como las del diente de león.

Reproducción
No hay constancia de que se hayan reproducido en cautividad

Inconvenientes
La falta de ejemplares criados en cautividad es un problema; los de importación suelen estar parasitad y requieren tratamiento veterinario si se quiere que prosperen.

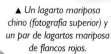

▲ *Un lagarto mariposa chino (fotografía superior) y un par de lagartos mariposa de flancos rojos.*

Trioceros hoehnelii

Camaleón de casco

PERFIL

El camaleón de casco es una especie de pequeño tamaño originaria de las montañas de Kenia y Tanzania, en el este de África, y destaca por el gran «yelmo» óseo que sobresale en su cabeza, así como por un cuerno nasal rudimentario o resalto elevado de piel. Su librea es de color verde, amarillo verdoso o verde azulado; el colorido de los machos suele ser más brillante y su casco es más prominente que el de las hembras. Es una especie ovovivípara que vive en bosques de alta montaña y cuyos ejemplares son habituales en ciertas áreas.

▲ *Los camaleones de casco exhiben un cuerno nasal óseo que varía de tamaño según el sexo y el origen geográfico, así como escamas elongadas en la barbilla y la garganta.*

Gastos		
G. instalación		
G. corrientes		

Tamaño: 20 cm.
Origen: África oriental.
Vida: Dato desconocido, 2-3 años como máximo.

▲ *Camaleones orondos como éste suelen ser hembras, mientras que los machos destacan por un mayor colorido.*

Temperamento
Se suelen adaptar bien a la vida en cautividad, al menos a corto plazo, y comen con presteza. Los machos no toleran la presencia de otros machos y pueden atacar a las hembras.

Habitáculo
Un gran terrario con las paredes de malla, y unas dimensiones de al menos 1 × 1 × 1 m, con frondosa vegetación con ramas y, si es posible, con plantas vivas de hojas grandes. Es esencial una lámpara de insolación y otra de luz UV.

Condiciones ambientales
Toleran el frío, por lo que basta con una temperatura de 15-25 °C, si bien se deben alcanzar los 30 °C en el solario durante parte del día. La humedad se elevará pulverizando el terrario frecuentemente con agua, y beberán gotas de agua condensadas en las hojas.

Atención
Todos los camaleones exigen mucho tiempo y dedicación. Al menos 15 minutos al día para alimentarlos, pulverizar con agua y mantenimiento general, aunque será mucho mejor darles de comer y pulverizar con agua dos o tres veces al día.

Variedades
Hay dos subespecies, pero es difícil identificarlas sin información.

Cuidados
Deben comer y hay que pulverizar con agua al menos una vez al día (mejor con más frecuencia).

Alimentación
Insectos como grillos.

Reproducción
Dato desconocido. Las hembras del comercio de importación a menudo están preñadas y dan vida a reducidas camadas de lagartos, pequeños y difíciles de criar.

Inconvenientes
La falta de ejemplares criados en cautividad a la venta. Algunos animales importados proceden del comercio furtivo.

Chamaeleo calyptratus

Camaleón velado o del Yemen

Es una especie impresionante y de considerable tamaño que se adapta bien a la vida en cautividad. Los machos presentan estructuras óseas elevadas en la cabeza, a modo de yelmo, que reciben el nombre de casco. Su tamaño se vuelve desproporcionado en los ejemplares más viejos. Los jóvenes carecen de estas estructuras, cuyo tamaño es mucho menor en las hembras. Su librea es verde o verde azulado, con dos o tres franjas diagonales amplias de color canela amarillento, y líneas blancas en el rostro y los flancos. Como en casi todos los camaleones, estos colores sufren cambios. Las hembras preñadas adquieren una tonalidad verde mucho más oscura, casi negra, con motitas azules y amarillas.

Originario de las áreas meridionales de la península arábiga, sobre todo Yemen, vive en colinas áridas, en matorrales de acacias y arbustos, especialmente a lo largo de los cursos de agua. Su tolerancia a las condiciones más duras quizá sea la razón por la que se desenvuelve tan bien en cautividad. Es una especie muy prolífica: las hembras llegan a depositar tres o más grumos de huevos en una misma época reproductiva, siendo cada puesta de 30 a 50 huevos, aunque se han documentado de más de 90 huevos. Por ello, la cría en cautividad se desarrolla a gran escala y es posible comprar en verano ejemplares jóvenes.

Temperamento

Se domestican bien, aunque, como todos los camaleones, prefieren que no los manipulen y rehúyen el contacto físico. Dejar que trepen por tu mano es la mejor forma de trasladarlos. Los machos no toleran la presencia de otros y se deben mantener separados, mejor sin contacto visual. Los machos también se muestran muy violentos con las hembras durante la época de celo y en ocasiones las matan, por lo que las cópulas tendrán que estar supervisadas.

Habitáculo

Un gran terrario de malla, de al menos 1 × 1 × 1 m, o mejor más grande. Sólo se mantendrá un adulto en el terrario, con multitud de ramas de distinto diámetro, y algunas plantas vivas o artificiales. Es esencial una lámpara de insolación dirigida a una rama en lo más alto del terrario, así como otra de luz UV.

Condiciones ambientales

Lo ideal es una temperatura ambiente de 20-25 °C y un punto bajo una lámpara de insolación donde haya al menos 30 °C o más durante el día. Habrá que pulverizar

▲ El casco de grandes dimensiones revela que se trata de un macho.

◄ *Imagen de su aproximación sigilosa.*

Gastos				
G. instalación				
G. corrientes				

Tamaño: Unos 30 cm, aunque hay machos con 45.

Origen: Península arábiga.

Vida: Los machos viven muchos años, es probable que hasta 10; las hembras reproductoras son de vida más corta: sólo 3 o 4 años.

con agua a diario porque no les gusta beber de un recipiente; prefieren lamer gotas de agua en las hojas. Lo mejor es hacer esto a primera hora de la mañana, para imitar así la niebla matutina que encuentran en su hábitat natural.

Atención
De treinta minutos a una hora al día.

Variedades
No hay variedades.

Cuidados
Necesitan atención diaria, y habrá que darles de comer al menos una vez al día. Lo mejor es darles de comer y pulverizar con agua por la mañana, poco después de que amanezca, y, si es posible, sumar una segunda comida durante el día.

Alimentación
Insectos como grillos, langostas, cucarachas, y larvas del lepidóptero *Pyralidae* (con moderación); en la naturaleza capturan insectos y arañas. Su apetito es proverbial. Todas las comidas se espolvorearán con un suplemento de vitaminas y minerales. Las hembras reproductoras necesitan grandes cantidades de calcio. Son una de las

pocas especies de camaleones que también come plantas, aunque pocas veces lo hacen en cautividad (pero no cuesta nada intentarlo).

Reproducción
Se reproducen con facilidad siempre que cuenten con las condiciones correctas para la puesta de los huevos, la incubación

▲ *Ejemplar joven, sano y de buen color, con los ojos brillantes y una disposición alerta.*

y la cría de los camaleones jóvenes, que es todo un cometido. Se necesitan terrarios separados para machos y hembras, y para los ejemplares jóvenes.

Inconvenientes
Necesitan mucho espacio y tiempo para prodigarles los cuidados precisos, aunque, si estás decidido a quedarte un camaleón, esta especie es la mejor alternativa.

Furcifer pardalis

Camaleón pantera

PERFIL

Este camaleón presenta una morfología muy variable dependiendo de la zona de Madagascar de la que sea originario, si bien todas las variantes son de colorido vistoso y muy atractivas. Los ejemplares del norte de la isla, en torno a Diego Suárez, son sobre todo verdes con franjas naranjas, mientras que los de algunas de las islas pequeñas, como Nosy Be y Nosy Faly, suelen ser azules o verdes azulados. La librea de los machos es de colorido más brillante que la de las hembras, y también son más grandes.

Son muy territoriales y los machos no pueden vivir juntos en ninguna circunstancia. Las hembras sólo se dejarán con los machos cuando gocen de buena salud, y la pareja tendrá que estar vigilada para asegurarse de que el macho no dañe a la hembra. Las hembras depositan grandes racimos de huevos y desovan varias veces en una misma época de celo; eso sí, siempre que estén bien alimentadas y sanas. Los huevos tardan varios meses en eclosionar, según el tiempo exacto de la temperatura. Los jóvenes requieren muy poca comida al principio, suplementada con vitaminas y minerales, aunque crecen con rapidez. Estos camaleones se crían en gran número y suele haber a la venta jóvenes criados en cautividad, aunque, como criarlos cuesta mucho tiempo y dinero, es probable que siempre sea una especie de gran valor.

▼ ► *Ejemplares rojo (abajo) y azul (derecha) de camaleón pantera procedentes de la región de Ambilobe de Madagascar.*

Temperamento

Como todos los camaleones, son agresivos entre sí, por eso hay que alojarlos por separado. La interacción con los seres humanos varía y en ocasiones muerden, de modo que es mejor manipularlos poco. Si es posible, dejaremos que el camaleón trepe por la mano en vez de intentar agarrarlo.

► *Espectacular camaleón pantera de brillante color azul, originario de la isla de Nosy Faly.*

Gastos			
G. instalación			
G. corrientes			

Tamaño: los machos hasta 52 cm; las hembras hasta 37 cm.

Origen: Norte de Madagascar.

Vida: Varios años.

Habitáculo

Terrarios grandes y altos, de al menos 1 × 1 × 1 m, o mejor más grandes. Los terrarios deben estar bien ventilados y al menos un lado será de malla fina. El habitáculo contendrá muchas ramas para que escalen, y hojas para esconderse; pueden ser naturales o artificiales. El sustrato será de corteza de orquídeas u hojas muertas, algo que retenga parte de la humedad. Hay que pulverizar a conciencia el terrario con agua todos los días; algunos camaleones son reacios a beber de un recipiente, pero sí lamerán las gotas de las hojas. Es esencial una lámpara de insolación dirigida a una rama en lo más alto del terrario, y otra de luz UV.

Condiciones ambientales

Bajo la lámpara de insolación debe haber 30-35 °C durante el día, mientras que la temperatura ambiente de 20-25 °C se mantendrá en todo momento. La humedad fluctuará durante el día,

elevándose nada más después de pulverizar con agua y bajando a medida que el terrario se seque.

Atención

De treinta minutos a una hora al día para darles de comer y pulverizar con agua. Los camaleones necesitan atención diaria y una inversión considerable de tiempo y recursos.

Variedades

En las tiendas se encuentran varios endemismos regionales, algunos de ellos de brillante librea teñida de rojos, verdes y azules. Las camadas de librea más brillante son las más caras.

Cuidados

Hay que pulverizar con agua y darles de comer al menos una vez al día, mejor dos.

Alimentación

Insectos, como grillos y langostas, según el tamaño. Su apetito es muy grande y necesitan mucha comida.

Reproducción

La reproducción no es difícil, aunque es esencial contar con terrarios grandes y establecer un régimen intensivo de comidas.

Inconvenientes

Necesitan muchísimo espacio, iluminación especial, suplementos de vitaminas y minerales, y mucha comida.

Rieppeleon brevicaudatus

Camaleón hoja de cola corta

Este pequeño camaleón vive en el suelo de la selva entre hojas muertas, donde la forma de su cuerpo y su coloración lo vuelven casi indetectable. Como no es un buen escalador, la cola se ha reducido hasta casi un muñón. Su librea es marrón, parda u olivácea; y su capacidad para cambiar de color es limitada. Presenta una mata de escamas bajo el mentón. Machos y hembras son de tamaño parecido, aunque la cola de los machos es relativamente más larga.

Temperamento
Son tímidos y confían en su camuflaje para no ser detectados. Sus movimientos son lentos y deliberados.

Habitáculo
Un terrario de unos 60 × 30 cm y unos 45 cm de altura es ideal para una pareja o un grupo reducido. Al menos un lado del terrario y la parte superior serán de malla. El paisaje será una capa de hojas muertas en el suelo, unas ramitas y, tal vez, una plantita.

Condiciones ambientales
No necesitan demasiado calor. Una temperatura ambiente de 18-23 °C les sentará bien, y no es necesaria una lámpara de insolación. También es opcional una lámpara de luz UV, aunque tal vez resulte beneficiosa. Hay que conseguir una humedad relativamente alta pulverizando con agua una o dos veces al día.

Gastos				
G. instalación				
G. corrientes				

Tamaño: Unos 9 cm.

Origen: África oriental (Tanzania y sur de Kenia).

Vida: Probablemente no sean longevos.

Atención
Quince minutos al día.

Variedades
Ninguna. Otras especies se venden a veces en las tiendas y sus cuidados son similares. La especie de Madagascar, *Brookesia*, no debe comprarse nunca, porque está en peligro de extinción.

Cuidados
Una o dos veces al día, darles de comer y pulverizar con agua.

Alimentación
Insectos pequeños, como grillos. Necesitan suplementos de vitaminas y minerales.

Reproducción
Probablemente no resulte fácil.

Inconvenientes
La falta de ejemplares jóvenes criados en cautividad. Los ejemplares salvajes tal vez estén parasitados. Es una especie interesante pero apenas se deja ver.

▲ *Estos pequeños camaleones son interesantes, pero no se dejan ver mucho. Su mantenimiento quizá sea complicado.*

Anolis carolinensis

Anolis verde

PERFIL

Son lagartos de amplia distribución geográfica por toda América y se conocen más de cien especies. El anolis verde es originario de América del Norte y una de las especies de colorido más vistoso. Es esbelto, de cabeza larga y estrecha, extremidades largas y cola larga. Ágil y siempre alerta, puede cambiar de color verde a marrón. Los machos lucen una gorguera violeta en la garganta, llamada repliegue gular, que despliegan para llamar la atención de las hembras y de los machos rivales.

Temperamento
Muy vivaces y siempre alerta.

Habitáculo
Un terario alto de unos 45 × 45 × 60 cm es adecuado para uno o dos anolis. El sustrato será un lecho de hojas o de corteza de orquídeas, con algunas ramas para trepar. Incorporar una o dos plantas vivas les permitirá beber gotas de agua de las hojas. Necesitan una lámpara de insolación y otra de luz UV.

Condiciones ambientales
Una temperatura ambiente de 20-25 °C es suficiente, así como un

▲ Son ágiles, activos y resultan interesantes como mascotas de terrario.

área bajo la lámpara de insolación donde alcance 30-35 °C durante el día. El terario se debe pulverizar habitualmente con agua para aumentar la humedad, aunque también debe estar bien ventilado.

Atención
De cinco a diez minutos al día.

Cuidados
Deben comer a diario y también hay que pulverizar con agua.

Variedades
Ninguna

Gastos				
G. instalación				
G. corrientes				

Tamaño: 20-30 cm.

Origen: Madagascar.

Vida: Un promedio de 3-5 años.

Alimentación
Insectos pequeños, como grillos y larvas pequeñas del lepidóptero *Pyralidae*, espolvoreados con un suplemento de vitaminas y minerales. Son cazadores ágiles.

Reproducción
Si se cuenta con una pareja, tal vez se reproduzcan espontáneamente. La hembra deposita un huevo cada vez, a menudo en la base de una planta.

Inconvenientes
No son fáciles de manipular. No hay ejemplares a la venta criados en cautividad.

► Los anolis verdes también son pardos en ocasiones, y pueden cambiar de color en cuestión de minutos.

Anolis sagrei

Anolis de las Bahamas o anolis pardo

Es esbelto (aunque un poco más rechoncho que el anolis verde) y tiene una cabeza relativamente grande. De color pardo, puede cambiar de un tono claro a otro más oscuro, y a veces luce manchas más oscuras y poco vistosas. Las hembras tienen una franja dorsal crema en la espalda. Prospera en gran número en hábitats apropiados y a menudo se observa cerca de viviendas, en troncos de árboles, vallas, cobertizos, etc. Los machos se exhiben boca abajo, desplegando la gorguera naranja.

Temperamento
Son vivaces y activos, siempre alerta.

Habitáculo
Un terrario alto con plantas como el descrito para el anolis verde (página 119). Las dos especies pueden convivir, si bien el anolis pardo tal vez sea dominante y se

▲ *Las hembras de anolis pardo presentan una franja dorsal de color crema.*

▲ *El macho despliega la gorguera para atraer a las hembras.*

quede la mayor parte de la comida. Los machos no pueden estar juntos, aunque sí pueden convivir varias hembras con un macho.

Condiciones ambientales
Las mismas que para el anolis verde.

Atención
De cinco a diez minutos al día.

Variedades
Ninguna, aunque a veces en las tiendas se venden otros anolis

Gastos			
G. instalación			
G. corrientes			

Tamaño: 15-20 cm; la mitad corresponden a la cola.

Origen: Antillas, pero se ha introducido en Florida y otras áreas caribeñas.

Vida: 2-4 años.

parecidos, como el anolis de cabeza grande, *Anolis cybotes*, y algunas variedades de pequeñas especies de las Antillas. El anolis ecuestre, *A. equestris*, es una especie de mayor tamaño que necesita un terrario grande y no puede compartirlo con ningún ejemplar de las especies pequeñas.

Cuidados
Hay que darles de comer y pulverizar con agua a diario.

Alimentación
Insectos pequeños, como grillos, espolvoreados con un suplemento de vitaminas y minerales.

Reproducción
Rara vez se ha intentado, aunque a veces se reproducen espontáneamente si tienen un terrario con un paisaje adecuado.

Inconvenientes
Su manipulación es complicada y no hay a la venta ejemplares jóvenes criados en cautividad.

Crotaphytus collaris

Lagarto de collar del altiplano

PERFIL

Es un miembro norteamericano de la familia de las iguanas que ocupa hábitats secos y rocosos del sur de Estados Unidos y norte de México. Su librea varía de verde a parda, pero siempre exhibe un amplio «collar» o mancha blanca y negra. La cabeza es grande, las patas son largas y culmina en una cola larga como un látigo. Son poderosos depredadores de movimientos rápidos que cazan sus presas a la carrera. Están siempre atentos a lo que ocurre a su alrededor y a menudo se apostan en rocas o tocones elevados.

Temperamento
Son lagartos activos. Están siempre alerta y les gusta ver lo que pasa a su alrededor, pese a que son muy vivaces, se domestican con facilidad.

Habitáculo
Es esencial un terrario grande de al menos 100 × 50 cm de superficie: la altura no es importante, pero debe estar cubierto. Un sustrato de arena o grava es útil, aunque debe haber unas cuantas rocas o

montones de piedras para que se suban. Una lámpara de insolación potente apuntará a una de estas piedras, y hay que disponer de una lámpara de luz UV.

Condiciones ambientales
Necesitan mucho calor. Durante el día, la temperatura ambiente debe ser de 20-25 °C, aunque toleran temperaturas más frías por la noche. Es importante que haya una lámpara de insolación en un punto, donde la temperatura alcance al menos 30 °C y mejor más; 40 °C no es demasiado si hay otra zona más fresca. No hay que pulverizar si se cuenta con un recipiente con agua.

Gastos			
G. instalación			
G. corrientes			

Tamaño: Hasta 30 cm, más de la mitad de cola.

Origen: América del Norte.

Vida: Dato desconocido, probablemente 5 años o más.

Atención
De diez a quince minutos diarios.

Variedades
No hay variedades, aunque sí varias especies parecidas, como otros lagartos de collar y el lagarto leopardo, *Gambelia wislizenii*.

Cuidados
Hay que darles de comer a diario.

Alimentación
Insectos, espolvoreados con un preparado de vitaminas y minerales.

Reproducción
Se reproducen en cautividad, pero necesitan mucho espacio. Los machos son territoriales y más grandes, aunque un macho puede convivir con dos o tres hembras.

Inconvenientes
Necesitan mucho espacio y hay una desafortunada falta de ejemplares jóvenes criados en cautividad.

◄ *La gran cabeza y el collar blanco y negro son característicos.*

Iguana verde o tejú

PERFIL

La iguana verde es un lagarto común originario de las selvas de América Central y del Sur, y también de algunas islas de las Antillas. Sus hábitos son muy arbóreos y normalmente se localiza en árboles jóvenes próximos a las orillas de los ríos, o en los bordes de claros de la selva; pocas veces ocupa áreas de vegetación densa y con árboles que no dejen pasar el sol. Los machos son territoriales y a menudo buscan apostaderos muy altos sobre alguna rama de la techumbre arbórea de la selva. Existe alguna variación en el color. Al salir del huevo, todas las iguanas son verdes. Algunas conservan ese verde brillante toda la vida,

mientras que otras adquieren un azul grisáceo o naranja. Es muy probable que los machos adultos cambien de color, lo cual depende en cierto grado de su procedencia. Las extremidades posteriores son largas, al igual que los dedos, que terminan en garras afiladas. La cola también es larga y presenta una serie de bandas oscuras. Todos los ejemplares lucen una cresta de escamas finas y puntiagudas que recorre toda la espalda, más grande en los machos maduros que en las hembras. Los machos también desarrollan grandes hojas de epidermis bajo el mentón, normalmente plegadas, y que para exhibirlas despliegan bamboleando la cabeza arriba y abajo.

▲ *Típico macho de iguana verde.*

▼ *Variedad roja de iguana verde. Se trata de una sencilla variante de color, no de una especie diferente.*

Temperamento

La mayoría se adaptan bien a la vida en cautividad y se domestican, aunque algunas no se acostumbran al cautiverio. A veces muerden o, lo más probable, usan la cola a modo de látigo. Sus garras causan dolorosos arañazos.

Habitáculo

Necesitan terrarios muy grandes, de como mínimo 2 × 2 × 2 m para uno o dos adultos, y es preferible que tengan el doble de tamaño; es decir, una jaula grande como las de los zoológicos. Los ejemplares jóvenes se pueden conservar en terrarios más pequeños, aunque terminarán necesitando otro más grande. El terrario contará con varias ramas fuertes y firmemente aseguradas a la estructura. Una repisa de madera cerca del techo servirá para que sesteen bajo una lámpara de insolación y otra de luz UV. Un recipiente grande con agua (de al menos el tamaño de un barreño para fregar) tendrá que fijarse de algún modo para evitar que se derrame.

Condiciones ambientales

Una temperatura ambiente de 23-28 °C con un punto de calor de al menos 40 °C bajo la lámpara de insolación. La humedad debe ser elevada para los ejemplares jóvenes, así que se pulverizará bien el terrario con agua; las adultas soportan mejor la sequedad. Habrá que pulverizarlas de vez en cuando con agua y dejarlas refrescarse en un recipiente grande. Los problemas para mudar la piel son señal de una sequedad demasiado elevada.

Atención

Treinta minutos al día.

Variedades

Existen variaciones naturales de color, y en ocasiones se encuentran en las tiendas varias especies estrechamente relacionadas, como las iguanas de

▲ ▼ *Aunque más pequeños, los basiliscos pardos (abajo) son un familiar próximo de la iguana verde (arriba), y también prefieren vivir cerca de cursos de agua.*

cola espinosa y los basiliscos. Algunas son carnívoras u omnívoras, y sus cuidados difieren de los de la iguana verde.

Gastos			
G. instalación			
G. corrientes			

Tamaño: 150-200 cm; los machos son mucho mayores que las hembras.

Origen: América Central y del Sur, las Antillas; también se ha introducido en Florida.

Vida: 15-20 años.

Cuidados

Darles de comer y limpiar a diario. El recipiente con agua se lavará y rellenará todos los días, y hay que vigilar la conducta de la iguana para asegurarse de que todo va bien.

Alimentación

Son herbívoras y comen verduras de hoja verde, raíces troceadas y, a veces, fruta (con la piel incluida). Las jovenes necesitan la comida troceada al tamaño apropiado. Todas las comidas se espolvorearán con un suplemento de vitaminas, minerales y calcio, muy importante para un rápido crecimiento.

Reproducción

Pocas veces se intenta debido a la cantidad de espacio que precisan.

Inconvenientes

Necesitan muchísimo tiempo y espacio. Aunque se domestican, no son adecuadas para los niños.

Phrynosoma platyrhinos

Lagarto cornudo del desierto

PERFIL

Hay unas quince especies de lagartos cornudos, todas originarias de las regiones desérticas de América del Norte. Son extraños e interesantes, con cuerpos anchos y aplastados que orientan hacia el sol para elevar su temperatura corporal por la mañana. El lagarto cornudo del desierto es una de las especies más grandes y de mayor vistosidad cromática, con una fila de escamas espinosas bordeando sus flancos y una serie de «cuernos» en la nuca. Vive en desiertos arenosos, entre cactus y matorrales xerófilos.

▲ ▼ *Los lagartos cornudos muestran una estampa inconfundible. Hay dieciséis especies de* Phrynosoma.

Gastos			
G. instalación			
G. corrientes			

Tamaño: 6,5-9 cm.

Origen: Suroeste de América del Norte.

Vida: Dato desconocido, quizá unos 5 años.

Temperamento
Son activos durante el día y se manipulan sin problemas.

Habitáculo
Un terrario con una superficie de 60 × 45 cm es lo mínimo para uno o dos ejemplares. Debe contener un sustrato de arena o gravilla, alguna roca y un recipiente poco hondo con agua. En un extremo del terrario habrá una lámpara de insolación potente y otra de luz UV sobre una roca para sestear.

Condiciones ambientales
Necesitan mucho calor. Una temperatura de 20-25 °C es suficiente, aunque en el solario bajo la lámpara de insolación alcanzará los 40 °C o más. No obstante, el lagarto debe poder retirarse a una parte más fresca del terrario.

Atención
De cinco a diez minutos al día.

Variedades
Ninguna, aunque de vez en cuando en las tiendas se ven otras especies de lagartos cornudos.

Cuidados
Darles de comer y pulverizar un poco el terrario con agua todos los días. Suelen preferir beber gotas de agua de las hojas que del recipiente. El terrario estará bien ventilado para que la humedad sea baja.

Alimentación
Insectos pequeños. En la naturaleza comen muchas hormigas, así que grillos del tamaño de hormigas serán un buen sustituto, siempre espolvoreados con un suplemento de vitaminas y minerales.

Reproducción
Pocas veces se ha intentado.

Inconvenientes
Sus necesidades aún se desconocen en parte y no siempre es fácil mantenerlos con vida a largo plazo. No hay a la venta ejemplares jóvenes criados en cautividad. Sólo aptos para especialistas.

Sceloporus occidentalis

Lagartija espinosa de cerca del noroeste

PERFIL

Es una especie habitual del área occidental de América del Norte y pertenece a un grupo de lagartijas de cerca, lagartijas espinosas que se extienden por toda Norteamérica. Su librea es parda o gris, con un dibujo indistinto de manchitas en la espalda, y escamas de color azul brillante en la garganta y el pecho, más amplias y brillantes en los machos. Las escamas acaban en punta y fuertemente aquilladas, y le confieren un aspecto espinoso y áspero. Vive en herbazales áridos, claros de bosques y en tierras de labrantío, donde a menudo está al acecho sobre algún tocón o apostadero destacados.

Temperamento
Al principio son nerviosas y de movimientos rápidos, pero se irán calmando con el tiempo.

Habitáculo
Un terrario que mida 100 × 30 cm de superficie es adecuado para uno

▲ *Lagarto en pose desafiante en el Parque Nacional de Yosemite*

o dos ejemplares. En un extremo se situará una lámpara de insolación, dirigida hacia el solario, y habrá otra de luz UV. Deberá tener un sustrato de grava o arena.

Condiciones ambientales
Una temperatura ambiente de 20-25 °C durante el día; más fresca por la noche. El solario alcanzará por lo menos los 35 °C. No es necesario pulverizar si hay un recipiente con agua.

Atención
Diez minutos al día.

Este lagarto es uno más de varios pequeños lagartos espinosos de América del Norte.

Variedades
Hay otras lagartijas espinosas de cerca del noroeste y otros lagartos afines, de cuidados similares.

Cuidados
Deben comer a diario. Se pueden pulverizar ligeramente con agua, pero la humedad debe ser baja.

Gastos			
G. instalación			
G. corrientes			

Tamaño: Unos 15 cm.

Origen: Oeste de América del Norte.

Vida: Dato desconocido, probablemente varios años.

Alimentación
Insectos como grillos, espolvoreados con un suplemento de vitaminas y minerales.

Reproducción
Posiblemente sea sencillo, pero pocas veces se ha intentado.

Inconvenientes
La falta de ejemplares criados en cautividad.

Gekko gecko

Gecko tokay

Es una especie grande y de vistoso colorido originaria del sudeste asiático. Su librea suele ser gris o gris azulado, salpicada con muchos lunares naranja por la cabeza y el cuerpo. Los ojos son enormes y presentan una intrincada urdimbre negra sobre un fondo de color crema o amarillo pálido. La pupila es vertical y se estrecha hasta ser sólo una rendija que une cuatro puntitos de luz brillante. Su nombre deriva de los sonidos que emite, que se parecen a un grito alto y ronco: «To-Kay». Como muchas otras especies, el gecko tokay se comunica con sonidos, marcando así su territorio y atrayendo a las hembras. Sus hábitos son nocturnos y sale de su escondrijo por la noche en busca de comida. En la naturaleza, con frecuencia se pone al acecho cerca de alguna luz, donde son atraídos insectos como polillas y cucarachas. Su boca es grande y su apetito voraz, y también come otros geckos más pequeños. Los tokay tienen pies grandes con ventosas adherentes muy eficaces, lo cual les permite caminar por superficies verticales e incluso agarrarse a los techos boca abajo. Pocas veces se desplazan por el suelo. Aunque viven en selvas y otros entornos naturales, mantienen una relación estrecha con el hábitat de los humanos, atraídos por los insectos que viven alrededor de casas y restaurantes.

Temperamento

Pueden ser agresivos y a menudo intentan morder si se les retiene contra su voluntad. Prefieren que los dejen en paz y, si el terrario es amplio, delimitarán un territorio y establecerán unos hábitos para alimentarse. No hay que cogerlos, si no hay una buena razón.

Habitáculo

Un terrario grande de al menos 100 × 50 × 100 cm de altura. El interior de la pared posterior y las paredes laterales estarán cubiertos con láminas de corcho o un material rugoso similar; también se dispondrán planchas de corcho verticalmente para que cuenten con grietas en las que esconderse. Necesitan un recipiente con agua, aunque el resto de los elementos del paisaje serán al gusto del dueño. Las plantas deben ser xerófilas o artificiales.

Condiciones ambientales

Los geckos tokay necesitan un clima tropical, con una temperatura de 20-25 °C y una humedad relativamente alta. Es mejor que el calor ambiental proceda de una fuente situada bajo el suelo, o también de la pared posterior, aunque no necesitan iluminación ni luz UV.

Atención

De cinco a diez minutos al día.

▲ ▶ *Ejemplar joven (arriba) y adulto de gecko tokay. Es una especie tropical de gran tamaño y de librea muy vistosa.*

Gastos				
G. instalación				
G. corrientes				

Tamaño: 30-40 cm; machos
más grandes que las hembras.

Origen: Sureste asiático.

Vida: Dato desconocido, al
menos 10 años en cautividad.

◄ *El* Gekko smithii *recibe el nombre
de gecko de ojos verdes de Smith.*

Variedades

El género *Gekko* comprende
otras especies que
podrían ser aptas
para la vida en
cautividad,
todas relativamente
grandes y poco amigas de
la cautividad. Entre ellas está el
Gekko grossmanni; el gecko de las
palmeras o *G. vittatus*, y el gecko de
ojos verdes de Smith o *G. smithii*,
todos originarios de la misma zona
del mundo y de cuidados similares.

Cuidados

Darles de comer a diario y
pulverizar ligeramente con
agua. También hay que limpiar y
mantener el terrario.

▲ *El* Gekko
grossmanni *es otra
especie de tamaño
apreciable y fácil
de criar en cautividad.*

Alimentación

Insectos grandes, como grillos
adultos, langostas y cucarachas.
Estas últimas le gustan mucho.
Todas las comidas irán
espolvoreadas con un suplemento
de vitaminas y minerales. Las
hembras reproductoras necesitan
calcio adicional.

Reproducción

Se reproducen en cautividad, pero
necesitan mucho espacio y lugares
adecuados para la puesta, como
una grieta entre dos superficies
verticales. Los huevos
inmovilizados se pueden dejar allí
para que se incuben, o se pueden
incubar por separado.

Inconvenientes

No se dejan tocar ni manipular.
De movimientos rápidos y hábitos
nocturnos, no se les suele ver.
Cuando escapan son difíciles de
capturar de nuevo

Salamanquesa rosada

PERFIL

Pequeño gecko de piel rosácea y traslúcida moteada con manchas oscuras y tubérculos sobresalientes, algunos blancos. Los dedos cuentan con ventosas adhesivas y garras largas, de modo que trepan igualmente por superficies lisas y rugosas. Son muy ágiles y trepan fácilmente por cristal y hasta corren boca abajo por los techos. Viven en áreas rocosas, también en paredes de piedra, pero es más probable que las veamos cerca de viviendas o en ellas mismas, donde aguardan emboscadas a los insectos atraídos por la luz.

◀ *Salamanquesa rosada*, Hemidactylus turcicus.

▲ *Una salamanquesa rosada en libertad y colgada de una roca. Se trata de una especie habitual en el Mediterráneo.*

Gastos				
G. instalación				
G. corrientes				

Tamaño: Hasta 10 cm.
Origen: Área mediterránea y muchas de sus islas.*
Vida: Dato desconocido, probablemente unos 5 años.

Introducidas accidentalmente en otras áreas como polizones en cajas de mercancías y otros productos. Las salamanquesas que aparecen en supermercados y tiendas de alimentación suelen pertenecer a esta u otra especie afín.

El sustrato será de arena, pero dispondrá también de piedras o trozos de madera para que resulte interesante. Es esencial un recipiente pequeño con agua.

Condiciones ambientales

Prefieren el calor y la sequedad, aunque toleran entornos muy variados. La temperatura debe ser de 23-28 °C, sobre todo si el calor se genera con una unidad eléctrica bajo el terrario. No se necesita iluminación ni lámpara de luz UV.

Temperamento

Sus hábitos son nocturnos. Son muy rápidas y ágiles, casi imposibles de manipular.

Habitáculo

Un terrario pequeño que mida 50 × 30 × 30 cm es adecuado para una pareja adulta. Los machos son territoriales y no se toleran entre sí.

Atención

De cinco a diez minutos al día.

Variedades

Ninguna, aunque hay otras especies de *Hemidactylus*, llamadas a menudo salamanquesas domésticas.

Cuidados

Deben comer a diario. En ocasiones hay que pulverizar ligeramente la jaula..

Alimentación

Insectos pequeños, como grillos y cucarachas jóvenes, espolvoreados con un suplemento de vitaminas y minerales. Las hembras necesitan calcio adicional para la formación de los huevos.

Reproducción

Mucha.

Inconvenientes

Son rápidas y ágiles, y muestran inclinación a escapar. Una vez solucionado el *escapismo*, resultan interesantes. Es una especie subestimada.

Teratolepis fasciata (Hemidactylus imbricatus)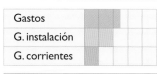

Gecko víbora

PERFIL

Es una especie pequeña del desierto con una cola llamativa y turgente. Recientemente se ha vuelto a clasificar como *Hemidactylus imbricatus*, pero no es un nombre que esté totalmente aceptado. Es rechoncha, de librea parda con rayas alternas de color pardo y marrón que descienden por la cola y recorren toda la espalda, así como manchas claras dispuestas en forma de bandas perpendiculares al cuerpo.

Temperamento
Se mueven con rapidez, pero su temperamento suele ser tranquilo y se manipulan fácilmente (pero con cuidado).

Habitáculo
Un terrario pequeño, de 45 × 25 cm de área superficial, es apropiado para una pareja o un pequeño grupo. No pueden trepar por superficies lisas, pero el terrario deberá techarse. El sustrato será de arena o de toallas de papel, con un platito con agua y dos cajas de escondite. Se pueden añadir rocas o madera de deriva según el gusto, aunque el paisaje debe ser sencillo.

Condiciones ambientales
Entre 20 y 32 °C es lo adecuado, y habrá una caja de escondite en cada extremo del terrario. Pulverizar un poco con agua el área interior o inferior de la caja brindará humedad local.

Atención
De cinco a diez minutos al día.

Variedades
Ninguna.

Cuidados
Darles de comer y pulverizar ligeramente con agua a diario.

Alimentación
Insectos pequeños, como grillos y larvas pequeñas del lepidóptero *Pyralidae*. Todas las comidas se espolvorearán con un suplemento de vitaminas y minerales, y siempre habrá en el terrario un recipiente con calcio.

Reproducción
Se reproducen con facilidad si se reúnen grupos pequeños.

Gastos			
G. instalación			
G. corrientes			

Tamaño: 7,5-8 cm.	

Origen: Pakistán	

Vida: Dato desconocido, probablemente varios años.	

▲▼ *Estos geckos presentan una cola engrosada, parecida a una zanahoria, que utilizan para almacenar grasas.*

Inconvenientes
Los geckos recién nacidos son muy pequeños y un tanto delicados, aunque sus cuidados no son complicados.

Lepidodactylus lugubris

Gecko enlutado

Este pequeño gecko es muy interesante; su ciclo vital compensa la falta de vistosidad de su librea. Se reproduce por partenogénesis: es una especie sólo de hembras que depositan huevos fértiles sin necesidad de cópula. Todas las nuevas crías son hembras y a la vez clones de su madre. Esto ha ayudado a su expansión por muchas pequeñas islas tropicales. Su color es pardo con manchas oscuras con forma de galones por toda la espalda. La cola tiene un tono amarillo o naranja.

Temperamento
Estrictamente nocturnos. Son muy rápidos y ágiles y no se manipulan con facilidad, pero se adaptan bien a la vida en cautividad.

Habitáculo
Basta con terrarios pequeños de unos 30 × 30 × 30 cm. No precisan luz y es suficiente una fuente de calor bajo la jaula. Todo cuanto necesitan es un sustrato de arena o de grava, algunos trozos de madera y una o dos plantitas con maceta.

Condiciones ambientales
Una temperatura de unos 25 °C y una humedad moderadamente elevada, que se logra pulverizando agua sobre el terrario una vez al día. Una planta con maceta aumentará la humedad localmente.

Atención
De cinco a diez minutos al día.

Variedades
Ninguna.

Cuidados
Hay que darles de comer y pulverizar con agua a diario; todo esto se hará al anochecer, cuando se muestran más activos.

Alimentación
Insectos pequeños, como grillos y moscas. Todas las comidas se espolvorearán con un suplemento de vitaminas y minerales, y se les ofrecerán al anochecer, de modo que tengan la posibilidad de comer antes de que los insectos pierdan el suplemento. Siempre estará disponible un platito con calcio en forma de hueso de sepia pulverizado.

Gastos		
G. instalación		
G. corrientes		

Tamaño: 10 cm.

Origen: Sureste asiático e introducido en muchas otras regiones.

Vida: Al menos 3 años, posiblemente más.

Reproducción
¡Mucha! Dales de comer y se reproducirán. Los huevos son muy pequeños y es mejor dejarlos donde la hembra haya hecho la puesta.

Inconvenientes
Son difíciles de manipular y no se dejan ver con mucha frecuencia, aunque son fáciles de mantener y no hay problemas para que se reproduzcan.

▲ *Esta especie únicamente de hembras se reproduce sin complicaciones.*

Lygodactylus williamsi

Gecko diurno azul de Tanzania

PERFIL

Los geckos diurnos africanos, o *Lygodactylus*, no están estrechamente relacionados con los geckos diurnos de Madagascar, del género *Phelsuma*, si bien sus cuidados son parecidos. Hay varias especies, todas muy pequeñas, que a veces entran en el mercado de mascotas, si bien el gecko diurno azul de Tanzania es el de mayor colorido. Los machos son de un color azul brillante, con unas pocas rayas negras en la cabeza, que son amarillas más abajo. Las hembras son menos vistosas y su librea es marrón con tonos azules o verdes. Endémicos de una pequeña área de la selva tropical de Tanzania, están en peligro de extinción.

Condiciones ambientales

Similares a las del gecko diurno de Madagascar. Se recomienda que haya lámparas de luz diurna natural que emitan luz UV.

Atención

De cinco a diez minutos al día.

Variedades

Hay otras especies de *Lygodactylus*, pero ninguna con su colorido.

Cuidados

Hay que darles de comer y pulverizar agua una o dos veces al día.

Alimentación

Insectos pequeños, sobre todo grillos pequeños y larvas del lepidóptero *Pyralidae*, siempre espolvoreados con un suplemento de vitaminas y minerales.

Gastos			
G. instalación			
G. corrientes			

Tamaño: Hasta 8,5 cm.

Origen: África oriental.

Vida: Dato desconocido, probablemente de 3 a 5 años.

Reproducción

Se reproducen cada cierto tiempo en cautividad. Las hembras necesitan calcio extra y mucha comida.

Inconvenientes

Son difíciles de manipular. Los machos jóvenes se parecen a las hembras, así que es complicado comprar una pareja de ambos sexos. No es fácil conseguirlos criados en cautividad, y no deben comprarse capturados en la naturaleza, ya que están en peligro de extinción.

Temperamento

De hábitos diurnos, son rápidos y ágiles.

Habitáculo

Similar al del gecko diurno de Madagascar (página 133), y donde tenga oportunidades para trepar y sestear al sol. Las plantas vivas ayudan a conservar la humedad al nivel correcto y también ofrecen lugares para la puesta de huevos. Los machos son territoriales; sólo puede haber uno por jaula.

▲ *El gecko diurno azul de Tanzania tiene un colorido que deja atónito. Este ejemplar es sin duda un macho; los geckos de coloridos menos vistosos suelen ser hembras o machos inmaduros, lo cual dificulta emparejarlos.*

Paroedura pictus

Gecko terrestre de Madagascar

Gecko de tamaño medio con la cabeza grande y el cuerpo cubierto de ásperas escamas. Su librea es de un pardo intenso con manchas de color crema o blanco. Las ventosas de los dedos son

Condiciones ambientales

Una temperatura de 20-25 °C, aunque las toleran más bajas durante períodos cortos. La humedad debe ser baja, aunque de vez en cuando se pulverizará el terrario ligeramente con agua. No necesitan iluminación.

Atención

De cinco a diez minutos al día.

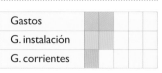

Gastos		
G. instalación		
G. corrientes		

Tamaño: Hasta 15 cm; machos más grandes que las hembras.

Origen: Sur de Madagascar.

Vida: Varios años, posiblemente hasta 10.

▲ *Éstas son especies que viven en el suelo.*

pequeñas y no puede trepar por superficies lisas, una adaptación a la vida en el suelo. Vive en bosques secos sobre suelos arenosos y se desliza entre las hojas muertas al llegar la noche.

Temperamento

Se adaptan bien a la vida en cautividad y toleran la manipulación. Los machos son agresivos entre sí y no pueden compartir terrario.

Habitáculo

Para una pareja lo adecuado es un terrario que mida unos 60 × 30 × 30 cm. Precisa un sustrato de arena con algunas rocas o madera muerta para que los geckos tengan escondrijos.

Variedades

Hay dos variedades: una posee una ancha franja longitudinal dorsal, la otra carece de ella. Hay otras especies de este género con probablemente los mismos cuidados.

Cuidados

Darles de comer a diario, mejor por la noche, cuando están activos. De vez en cuando se pulverizará el terrario ligeramente con agua.

Alimentación

Insectos como grillos y cucarachas; aunque comen presas más grandes. Todas las comidas se espolvorearán con un suplemento, y las hembras necesitarán calcio adicional.

Reproducción

Mucha. Las hembras depositan varios grumos de una o dos huevas tras una única cópula. Lo mejor es separar los geckos una vez concluida la cópula, o de lo contrario la hembra consumirá sus reservas de calcio, se agotará y morirá.

Inconvenientes

Ninguno. Son ideales para ser mascotas y requieren una dedicación y un equipamiento mínimos, y siempre es posible comprar ejemplares jóvenes criados en cautividad. No obstante, sus hábitos son nocturnos y no es fácil verlos.

Phelsuma klemmeri

Gecko diurno de Madagascar

PERFIL

Pequeño gecko diurno con un vistoso colorido casi increíble. La cabeza es de color verde-lima, con un anillo amarillo alrededor de los ojos y el cuerpo azul. Presenta rayas oscuras longitudinales en los flancos y en la espalda. No es habitual en la naturaleza y ocupa sólo cañaverales de bambú en una pequeña región del norte de Madagascar, si bien se crían muchos ejemplares en cautividad.

Temperamento
Vivaces y ágiles, resulta difícil manipularlos. Se dejan ver y se adaptan bien a la vida en cautividad.

Habitáculo
Un terrario alto de unos 30 × 30 × 45 cm es adecuado para uno o dos ejemplares. Se desenvolverán mejor si el terrario es más grande, y entonces habrá la oportunidad de trasladarlos a un recinto exterior donde haya más elementos naturales. Se necesitará una lámpara de insolación y también una fuente de luz UV.

Condiciones ambientales
Una temperatura ambiente de 20-25 °C con una lámpara de insolación que la eleve hasta 30 °C en lo más alto del terrario. No hay acuerdo sobre los rayos ultravioleta, pero es buena idea usar al menos una lámpara de luz UV de poca potencia o una de luz diurna natural. La humedad debe ser elevada, por lo que habrá que pulverizar la jaula una o dos veces al día con agua, o instalar un sistema automático que funcione al menos dos veces al día.

Atención
De cinco a diez minutos al día.

Variedades
Ninguna.

Cuidados
Darles de comer y pulverizar con agua una o dos veces al día, y habrá que atender el mantenimiento de la jaula.

Gastos				
G. instalación				
G. corrientes				

Tamaño: Hasta 9 cm.

Origen: Norte de Madagascar.

Vida: Al menos 5 años y probablemente más.

Alimentación
Insectos pequeños como grillos, larvas del lepidóptero *Pyralidae*, pequeñas cucarachas, etc. La comida debe ser variada y espolvorearse con un suplemento de vitaminas y minerales, y las hembras reproductoras necesitarán calcio adicional para que pueda formarse la cáscara de los huevos.

▲ *El gecko diurno de Madagascar difiere en color y tamaño de las otras especies, que son sobre todo verdes.*

Reproducción
Se reproducen con facilidad siempre que las condiciones sean correctas, tengan comida en abundancia y calcio adicional.

Inconvenientes
Su manipulación no es sencilla.

Phelsuma madagascariensis 🔲🔲🔲🔲

Gecko diurno gigante de Madagasca

PERFIL

Como su nombre sugiere, éste es el gecko diurno más grande, casi el doble que el de la siguiente especie más voluminosa. Su colorido es de un espectacular verde brillante con rayas rojas que cruzan su espalda y una línea roja desde las ventanas nasales hasta los ojos. Existe cierta variación entre ejemplares y hay al menos cuatro subespecies, de las cuales la *P. m. grandis* es una de las que más se ven. Es endémico del norte de Madagascar, donde es muy corriente cerca de los poblados, en los troncos de los árboles y en las paredes de los edificios, a menudo apostado junto a luces para cazar los insectos atraídos. Los geckos diurnos se diferencian de la mayoría de las demás especies en que se muestran activos durante el día. Por ello sus colores son brillantes, para poder exhibirse frente a sus congéneres. La mayoría de los otros geckos se comunican con sonidos.

Temperamento
Ágiles pero tranquilos.

Habitáculo
Un terrario alto de 60 × 60 × 100 cm de altura es el tamaño mínimo para una pareja de adultos, o un grupo de jóvenes, y estará poblado con multitud de ramas, cañas de bambú y plantas vivas o artificiales. Las especies más pequeñas requieren un habitáculo menor, pero sus terrarios necesitan ser altos. Los geckos diumos gustan de terrarios con

▶ *Típico gecko diurno gigante.*

▼ *Como la mayoría de las especies, los geckos diurnos carecen de párpados y utilizan la lengua para limpiarse el polvo y los líquidos de la superficie de los ojos.*

vegetación profusa y agua corriente. Esto no sólo vuelve atractivos los terrarios, sino que les ofrece la seguridad de multitud de escondrijos y áreas de humedad elevada. Se necesita iluminación UV, y si hay plantas, tal vez luces adicionales para que se conserven sanas.

Condiciones ambientales
Una temperatura ambiente de 20-25 °C, con un área puntual de 30 °C o más. La humedad se eleva temporalmente pulverizando

agua en el terrario, que estará bien ventilado. Es esencial una lámpara de luz UV.

Atención
De diez a veinte minutos al día.

Variedades

Hay cuatro subespecies como las indicadas arriba. Hay muchas otras especies que de vez en cuando se encuentran en las tiendas, algunas de las cuales se crían en cautividad. El gecko diurno de cuatro ocelos, *Phelsuma quadriocellata*, es de tamaño intermedio y su color es verde brillante con unas cuantas manchas rojas dispersas por la espalda, así como ojos u ocelos azules en los flancos. El gecko diurno polvo de oro, *P. laticauda*, también es verde, pero con una cola aplastada amarillenta, así como motas amarillas sobre la espalda, como si fueran polvo de oro.

Cuidados

Hay que darles de comer y pulverizar agua a diario. Es necesario limpiar el terrario.

Alimentación

Insectos, como grillos, generosamente espolvoreados con vitaminas y minerales. Las hembras requieren calcio adicional, que almacenan en sacos endolinfáticos presentes en la garganta. También lamen miel y fruta blanda como plátano, y ésa es una buena forma de que tomen más vitaminas.

Reproducción

Mucha. Los machos son territoriales y también las hembras de algunas especies, aunque esta dificultad se supera en cierto grado con grandes jaulas con muchos escondrijos. La hembra deposita dos huevas a la vez en sitios ocultos, sobre todo en secciones de bambú hueco, que se pueden retirar si fuera necesario y trasladarse a un terrario aparte para su incubación.

Gastos					
G. instalación					
G. corrientes					

Tamaño: 20-28 cm.

Origen: Norte de Madagascar (subesp. grandis).

Vida: Al menos 5 años, o 10 o más.

▲ ◄ *El gecko diurno gigante (arriba) y el gecko diurno ocelado (abajo) son de las especies más atractivas y accesibles, pues ambas se suelen criar habitualmente en cautividad.*

Gecko de cola de hoja o uroplato

Gecko poco corriente y espectacular, originario de las selvas tropicales del oeste de Madagascar, y cuyo estilo de vida está muy especializado, lo cual dificulta conservarlo vivo en cautividad. Descansa en los troncos de los árboles de día, donde es casi imposible identificarlo gracias a su camuflaje. La cola y el cuerpo están orlados con apéndices cutáneos, y su coloración es igual que la de la corteza sobre la que descansan. Con una cabeza grande y triangular, sus ojos son grandes y bulbosos.

Temperamento

Son muy nerviosos y se estresan con gran facilidad.

Habitáculo

Necesitan terrarios muy grandes, de al menos 1 m de altura, con grandes ramas a las que trepar, así como un curso de agua, o un sistema automático de vaporización, para mantener la humedad correcta. La iluminación debe ser tenue.

▶ *Gecko de cola de hoja,* Uroplatus fimbriatus.

▲ *Gecko perfectamente camuflado en el tronco de un árbol de Madagascar.*

Condiciones ambientales

Una temperatura constante de unos 25 °C. No necesitan una lámpara de luz de insolación ni tampoco de luz UV, aunque hay que mantener la humedad próxima al 100 %.

Atención

De diez a veinte minutos al día.

Gastos			
G. instalación			
G. corrientes			

Tamaño: Hasta 30 cm.
Origen: Oeste de Madagascar.
Vida: Dato desconocido.

Variedades

Hay otras especies de *Uroplatus* originarias de Madagascar, incluidas algunas más pequeñas, pero todas están muy especializadas y requieren unos cuidados también especializados.

Cuidados

Darles de comer a diario. Es vital un seguimiento de las condiciones del terrario, aunque hay que molestarlos poco pues se alteran con facilidad.

Alimentación

Insectos grandes espolvoreados con un suplemento de vitaminas y minerales.

Reproducción

Se ha conseguido que se reproduzcan, pero es una empresa seria que requiere mucho tiempo y unas instalaciones excelentes.

Inconvenientes

Pocas veces hay a la venta ejemplares criados en cautividad, y es difícil conseguir que los capturados en la naturaleza se aclimaten (además de ser ilegal su compra al ser especies protegidas). Sólo sobreviven en paisajes muy grandes y elaborados.

Strophurus williamsi

Gecko de cola espinosa

PERFIL

Gecko esbelto, de librea gris plateada clara, con dos filas de espinitas que recorren la cola y la espalda. Los ojos son de color naranja. Sus hábitos son parcialmente arbóreos, y dependen de su excelente camuflaje para permanecer ocultos de día, por lo general colgados boca abajo de alguna ramita, a menudo del mismo color que ellos. Por la noche descienden al suelo para alimentarse y para sus correrías.

Temperamento
Son adaptables y resistentes. Como a todos los geckos, no les gusta que los manipulen.

Habitáculo
Se necesita un terrario alto que mida 30 × 30 × 45 cm para una pareja o un trío de adultos. Debe tener un sustrato de arena seca o un lecho de hojas y contar con varias ramas finas diagonales respecto a las paredes.

Condiciones ambientales
Lo mejor es un ambiente de calor y sequedad, aunque toleran cierta humedad

durante períodos cortos. Una temperatura diurna de 20-25 °C es ideal, y se puede dejar que descienda durante la noche. La jaula se pulverizará ligeramente con agua por la mañana y se iluminará con una fuente de UV, como una lámpara de luz diurna natural, aunque no es esencial.

Atención
De cinco a diez minutos diarios.

Variedades
Hay cierta variación en las manchas. Especies afines como el hermoso gecko de cola dorada, *Strophurus taenicauda*, se encuentran a veces en las tiendas.

Cuidados
Hay que darles de comer todos los días al anochecer, y se pulverizará el terrario ligeramente con agua por la mañana.

Alimentación
Insectos pequeños como grillos. No les es posible comer presas grandes.

Gastos				
G. instalación				
G. corrientes				

Tamaño: 10-11 cm, cola incluida

Origen: Mitad oriental de Australia.

Vida: Dato desconocido, quizá 10 años o más.

Reproducción
La reproducción ocurre con regularidad, aunque no son muy prolíficos.

Inconvenientes
Son caros y es difícil adquirir ejemplares.

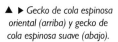
▲ ▶ *Gecko de cola espinosa oriental (arriba) y gecko de cola espinosa suave (abajo).*

137

Rhacodactylus ciliatus

Gecko crestado

La del gecko crestado es una de esas historias de éxito sobre otros lagartos de reciente introducción, dado lo bien que se adapta a la vida en cautividad. Originario de la isla de Nueva Caledonia, donde ocupa los bosques húmedos y se mueve entre ramitas y hojas por la noche, presenta ventosas adhesivas en los dedos y otra ventosa adicional en la punta de la cola, por lo que es una especie muy «adherente». Los pies son grandes y palmeados, y los dedos se rematan en ventosas y en unas garras de notables proporciones. Su nombre responde a un resalto de escamas puntiagudas que luce sobre los ojos, y que se convierte en una cresta que desciende por el cuello y sigue por el cuerpo, donde se va disipando. El color y las manchas de su librea son muy variables, por lo que goza de gran popularidad; además, se reproduce sin dificultad. La variedad de su cromatismo va desde el canela o el pardo dorado hasta intrincados dibujos de manchas chocolate claro con otras crema o naranja, o cualquier combinación de estos colores. Sus criadores han ido poniendo nombre a las diversas libreas («llama», «arlequín», «maculado», etc.), aunque ninguno con valor taxonómico. Hay varias especies relacionadas, y todas ellas se desenvuelven bien en cautividad.

◄ ▼ *Los geckos crestados son atractivos y se domestican con facilidad; los colores y dibujos de su librea son muy variados.*

Temperamento
Tranquilos y fáciles de domesticar. Prefieren subirse a un dedo a que los toquen, y si se manipulan bruscamente, llegan a perder la cola, que volverá a crecer pero no tan completa como la original.

Habitáculo
Se necesitan jaulas grandes, de al menos 100 × 50 × 100 cm, o mejor mayores. La jaula tendrá un sustrato de hojas o fibra de coco mezclado con esfagno. Las ramas se dispondrán diagonalmente para que trepen y, si es posible, se introducirán algunas plantas vivas. Se puede instalar un sistema automático de vaporización o se nebulizará la jaula a mano.

Condiciones ambientales
Esta especie prefiere temperaturas relativamente bajas, como 20-25 °C, que descenderán hasta los 20 °C por la noche. En invierno puede vivir con temperaturas más frías, y parece que eso le incita a reproducirse. El terrario se debe nebulizar todas las noches.

Atención
De diez a veinte minutos diarios.

Variedades
Hay muchos colores, como ya se ha dicho. También se crían en cautividad otras especies, como el gecko gárgola, *R. auriculatus*; el gecko musgoso, *R. chahoua*, y el gecko gigante de Nueva Caledonia, *R. leachianus*, aunque no en el mismo

número que el *R. ciliatus*. Sus cuidados son muy parecidos, si bien no se deben mantener juntos en un mismo terrario. El gecko gigante de Nueva Caledonia llega a crecer hasta 45 cm o más, y quizá sea el gecko más grande del mundo, por lo que el terrario tendrá que ser mayor que el recomendado para el gecko crestado.

Cuidados

Darles de comer y pulverizar agua a diario, si no se ha instalado un sistema de nebulización. Se realizará limpieza general del terrario cuando sea necesario.

Alimentación

Insectos, como grillos y cucarachas, y fruta. Les encantan los plátanos, que pueden comer en papilla, o bien en latas de puré de plátano (o potitos para bebés). Es una buena forma de que ingieran vitaminas y minerales en la dieta, y las hembras también comerán escamas de sepia como fuente adicional de calcio, muy importante cuando están en la fase reproductiva.

Reproducción

Resulta muy fácil siempre que dispongan de mucha comida y no se les moleste mucho. Depositan varios grumos de dos huevas a lo largo de la época de celo; de ahí la necesidad de una fuente adicional de calcio. Las crías son relativamente grandes y fáciles de sacar adelante.

Gastos					
G. instalación					
G. corrientes					

Tamaño: 20 cm (con la cola).

Origen: Nueva Caledonia.

Vida: Al menos 10 años, o probablemente más.

▲ Esta especie destaca por el tamaño de los ojos, por la intrincada urdimbre del iris y por la ausencia de párpados.

► El gecko gárgola, R. auriculatus, exhibe una librea de rayas irregulares que adoptan colores muy diversos. Es menos corriente en cautividad que el gecko crestado.

Inconvenientes

Ninguno. Son mascotas excelentes para neófitos y para entusiastas más avanzados, y siempre se encuentran ejemplares a la venta criados en cautividad.

139

Eublepharus macularius

Gecko leopardo

Es uno de los reptiles preferidos como mascota: sólo el dragón barbudo es tan popular como esta especie, lo cual se debe a su adaptabilidad a las condiciones de la vida en cautividad, a la facilidad con la que se domestica, a su atractivo colorido y a su variada librea. Brinda muchas oportunidades para la cría selectiva y se ha creado una plétora de formas «morfos» mediante la cría artificial. Su atractivo reside en gran medida en el ojo de quien lo contempla, y muchos entusiastas —yo incluido— prefieren los ejemplares salvajes, de color amarillo o canela salpicados con manchas marrones distribuidas al azar por todo el cuerpo. No obstante, los ejemplares jóvenes presentan bandas marrones y crema que, a medida que crecen, se van borrando y son remplazadas por las manchas. La cola posee anillos blancos y negros, y es muy gruesa cuando están bien alimentados. A diferencia de la mayoría de los geckos, los geckos leopardo y sus familiares más cercanos presentan párpados (por lo cual a veces reciben el nombre colectivo de geckos con párpado) y, como viven en el suelo, carecen de las ventosas adhesivas que tienen otros. Viven en los desiertos rocosos de Asia, donde constituyen colonias muy numerosas.

Temperamento
Son muy tranquilos y fáciles de domesticar. Pocas veces muerden, si es que alguna vez lo hacen.

Habitáculo
Un terrario que mida 60 × 30 cm de superficie es lo mínimo para un adulto o una pareja. La altura no es importante, aunque tendrá que estar techado. Se pueden conservar en un entorno clínico o en un paisaje naturalista. No se recomienda usar arena de sustrato, porque son propensos a tragársela, pero sí grava o guijarros.

También pueden tener un sustrato de papel, aunque, claro está, no resulte tan atractivo. Necesitan escondrijos, que, por supuesto, pueden ser naturales, como trozos curvos de corteza o una rama hueca, o

▲ *Ejemplar «salvaje» de gecko leopardo.*

◄ *Variedad sin pigmentación o leucística: es el llamado gecko «ventisca».*

Gastos		
G. instalación		
G. corrientes		

Tamaño: 20-25 cm, ocasionalmente más grandes.

Origen: Sur y centro de Asia.

Vida: Al menos 15 años, pero a veces hasta 30.

ser escondites artificiales hechos con plástico o barro cocido. Otro elemento esencial es un recipiente con agua, aunque se pueden añadir plantas xerófilas para que el terrario resulte más atractivo. La calefacción será puntual, de modo que exista un gradiente térmico, con lo cual el gecko elegirá la temperatura que prefiera. No necesitan iluminación, a menos que el terrario contenga plantas vivas.

Condiciones ambientales

Necesitan una temperatura de 20-28 °C (pero manteniendo siempre el gradiente térmico). Toleran temperaturas más bajas, y pueden hibernar durante el invierno. Tienen que estar secos y no hay necesidad de pulverizar la jaula con agua a menos que tengan problemas para mudar de piel, en cuyo caso se podrá pulverizar el sustrato con agua a diario hasta que la muda haya concluido.

Atención

De cinco a diez minutos diarios.

Variedades

Hay gran variedad cromática, desde ejemplares en que falta el colorido (albinos, hipomelanísticos, etc.) hasta otros cuyas manchas difieren de sus pares criados en la naturaleza, como las libreas listadas y moteadas. Todas las variantes tienen nombre, que no siempre comparten los criadores, como «jungla», «amarillo subido», «lavanda», «chocolate», etc.

Cuidados

Darles de comer a diario y comprobar su salud general.

Alimentación

Insectos como grillos, siempre espolvoreados con un suplemento de vitaminas y minerales. Las hembras reproductoras necesitan calcio adicional.

Reproducción

Muy grande. Hay un suministro constante de geckos leopardo criados en cautividad de todos los colores y tamaños.

Inconvenientes

Ninguno; tal vez sea el reptil ideal como mascota.

▼ *Esta variedad carece de casi toda la pigmentación oscura (es decir, hipomelanística).*

Gecko de cola gruesa

PERFIL

Es un pariente africano del gecko leopardo, aunque no es tan popular en cautividad ni su reproducción tan fácil. Es una especie rechoncha con bandas anchas y transversales de color canela y chocolate; aparte, como su nombre sugiere, tiene una cola turgente. Algunos ejemplares lucen una raya longitudinal de color crema que recorre toda su espalda, y otros carecen de ella. Ocupa las colinas y herbazales secos de África oriental, donde vive en madrigueras.

Temperamento

Son tranquilos pero un poco más nerviosos que los geckos leopardo.

Habitáculo

Similar al del gecko leopardo (páginas 140-1). Los escondrijos son importantes para ellos, porque se alteran cuando se ven obligados a salir a campo abierto. Se recomiendan escondrijos en los distintos extremos del terrario para que puedan escoger estar más frescos o calientes, y sentirse seguros.

Condiciones ambientales

Necesita un margen de temperatura similar al del gecko leopardo, aunque parece sentarle mejor un ambiente más húmedo. Rociar el sustrato bajo uno de sus escondrijos creará un entorno húmedo localizado que podrá usar cuando quiera.

Atención

De cinco a diez minutos al día.

Variedades

Además de las variedades listadas o sin rayas mencionadas, hay otra en la que casi toda la pigmentación oscura ha desaparecido (gecko hipomelanístico) y presenta bandas transversales de un naranja brillante; a veces responden al nombre de geckos «mandarina». Hay otra especie, el gecko de cola gruesa de Taylor, *H. taylori,* originaria del noroeste de África, pero pocas veces hay ejemplares a la venta.

Cuidados

Hay que darles de comer a diario y pulverizar ligeramente con agua. La limpieza de la jaula también es necesaria.

Alimentación

Insectos, como grillos, espolvoreados con un suplemento de vitaminas y minerales.

Gastos			
G. instalación			
G. corrientes			

Tamaño: 15-20 cm; a veces los machos son más grandes.

Origen: África occidental.

Vida: 10 años o más.

▲ *Variedad hipomelanística listada de gecko de cola gruesa.*

Reproducción

No se reproducen con la misma facilidad que los geckos leopardo, aunque hay ejemplares que lo hacen en cautividad.

Inconvenientes

La falta de ejemplares a la venta criados en cautividad. Son más bien tímidos en comparación con los geckos leopardo.

Teratoscincus scincus

Gecko de ojos de rana

PERFIL

Los geckos de ojos de rana son originarios de los desiertos de Asia central, donde viven en llanuras pedregosas. Su cuerpo es grueso, la cabeza grande, los ojos enormes y las patas largas, que los mantienen alejados del suelo cuando están de pie o se desplazan. Las escamas son grandes y emiten un sonido sibilante cuando mueven la cola hacia los lados, con lo cual los bordes de las escamas rozan unos con otros. Los dedos no tienen ventosas, pero sí un resalto de escamas serradas que les ayudan a moverse con rapidez por la arena suelta.

Temperamento

Se acostumbran a la intervención de los humanos, pero no se deben manipular más de lo necesario, porque su piel es muy delicada y se rasga con facilidad.

Habitáculo

Un terrario que mida 60 × 45 cm es adecuado para una pareja; la altura no es importante. El sustrato será de arena y habrá algún punto donde puedan ocultarse, sea una caja de escondite, sea una cueva de rocas planas. Sólo puede haber un macho por terrario.

▲ *El gecko de ojos de rana de Keyserling se considera en ocasiones una especie distinta.*

Condiciones ambientales

Necesitan una temperatura diurna de 25-30 °C, que puede bajar por la noche. La temperatura general puede ser más fría durante el invierno.

Atención

Diez minutos al día.

Variedades

Hay dos subespecies: *T. scincus scincus* y *T. scincus keyserlingii*, que a veces se considera una especie diferente. Esta última es más grande y de colores más vistosos.

Cuidados

Hay que darle de comer y pulverizar ligeramente con agua a diario.

Gastos			
G. instalación			
G. corrientes			

Tamaño: 15-20 cm.

Origen: Asía central (desde el sur de China hasta Irán).

Vida: 5-10 años.

Alimentación

Insectos como grillos, larvas del lepidóptero *Pyralidae* y mezclas de insectos diminutos capturados en la naturaleza. Todos los insectos se espolvorearán con un suplemento de vitaminas y minerales, y las hembras necesitan calcio adicional.

Reproducción

Es posible pero no fácil. Las hembras necesitan calcio adicional, y los huevos son de cáscara fina y se quiebran con facilidad.

Inconvenientes

Son bastante delicados y pocas veces se encuentran ejemplares criados en cautividad.

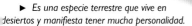

▶ *Es una especie terrestre que vive en desiertos y manifiesta tener mucha personalidad.*

GECKO DE COLA GRUESA / GECKO DE OJOS DE RANA

143

Cordylus rhodesianus

Lagarto de cola enfajada de Zimbabue

PERFIL

Los lagartos de cola enfajada de Zimbabue, de los cuales hay 20 especies, tienen necesidades parecidas, y varias están a la venta a veces. *Cordylus rhodesianus* es una especie de tamaño medio con manchas amarillas o crema sobre un fondo de color marrón oscuro o negro. Estos lagartos se asocian con afloraciones rocosas, donde viven en grietas y salen a tomar el sol. Con su cola espinosa bloquean la entrada de sus escondrijos.

Temperamento

A menudo se comportan con timidez al principio, pero se domestican pasado un tiempo.

Habitáculo

Lo mejor es mantenerlos en grupos, en un terrario de 100 × 45 × 45 cm o similar con un sustrato de grava y uno o dos montones de rocas donde encaramarse. Debe haber profusión de grietas en las que refugiarse y áreas lisas para sestear. Una lámpara de insolación potente debe apuntar a una de estas áreas, y también es esencial una lámpara de luz UV

Condiciones ambientales

Una temperatura ambiente de 20-25 °C y en un punto bajo una lámpara de insolación que alcance 35-40 °C durante el día. Deben poder retirarse a un área más fresca de la jaula. Las distintas especies pueden tener preferencia por una temperatura ligeramente diferente según su lugar de origen.

Atención

De diez a quince minutos al día.

Variedades

Varias especies similares no siempre identificadas con precisión por los importadores. Los lagartos etiquetados como *C. rhodesianus* tal vez sean *C. tropidosternum*.

Cuidados

Deben comer a diario. Pulverizar ligeramente el terrario por la mañana les permitirá beber gotas de agua de las rocas.

Alimentación

Insectos pequeños como grillos, y algo de vegetación, como hojas y flores de diente de león. No todos los ejemplares consumen plantas.

Reproducción

Pocas veces en cautividad. Cazan presas vivas y tienen de una a seis crías por camada.

Inconvenientes

La falta de ejemplares criados en cautividad.

Gastos			
G. instalación			
G. corrientes			

Tamaño: 9-12 cm.	
Origen: África oriental.	
Vida: Muchos años, tal vez hasta 25.	

▲ Este lagarto pertenece a un complejo de especies del sur de África que superficialmente son muy parecidas entre sí.

Hemisphaeriodon gerrardii

Escinco de Gerard o de lengua rosa

PERFIL

El escinco de lengua rosa es una especie australiana que se parece a otro escinco más pequeño y esbelto de lengua azul. Su librea es de color rosado claro, con bandas anchas más oscuras, a veces negras, que cruzan su cuerpo. Vive en la espesura de la vegetación de la Australia oriental y se alimenta casi exclusivamente de caracoles. También se conoce por el nombre de *Tiliqua gerrardii* y por *Cyclodomorphus gerrardii* en algunas publicaciones.

Condiciones ambientales

Una temperatura ambiente de 20-25 °C es adecuada, pero habrá una luz de insolación que la eleve hasta 30-35 °C en un extremo del terrario. Se recomiendan rayos UV. La humedad debe ser moderada y se pulverizará a diario con agua el extremo más fresco del terrario para mantener un gradiente de humedad, lo cual es ideal.

Gastos		
G. instalación		
G. corrientes		

Tamaño: Hasta 35 cm, ocasionalmente más grandes.

Origen: Australia.

Vida: 10-15 años, posiblemente más tiempo.

▲ *Atractivo escinco de lengua rosa, uno de los más fáciles de mantener y conseguir reproducir.*

Temperamento

Son ágiles pero no especialmente nerviosos, y fáciles de manipular.

Habitáculo

Un terrario que mida unos 100 × 30 × 45 cm es adecuado para una pareja o un grupo pequeño. Les gusta escalar, por lo que deben tener en el terrario ramas fuertes y plantas vivas si es posible. El sustrato será de fibra de coco o corteza de orquídeas. También necesitan un recipiente con agua y un escondrijo, como un trozo de corteza curva.

Atención

De diez a quince minutos al día.

Variedades

Ninguna.

Cuidados

Darles de comer, pulverizar la jaula a diario con agua y limpiar el terrario.

Alimentación

Los caracoles son su comida favorita, y algunos no comen otra cosa. Si no vives en un lugar donde haya caracoles, puedes tener problemas. Algunos comen carne picada y mezclada con yema de huevo crudo, aunque se recurrirá a esta dieta sólo de vez en cuando.

Reproducción

Se reproducen sin problemas en cautividad y les gusta cazar presas vivas.

Inconvenientes

Conseguir suficientes caracoles para alimentarlos.

▲ *Escinco de lengua rosa mostrando el apéndice que le da su nombre.*

145

Lepidothyris fernandi

Escinco de fuego de Fernando Poo

PERFIL

De rico cromatismo y originario de África occidental, sus flancos presentan grandes áreas de escamas de un brillante rojo, color que también luce en la mandíbula superior. Muestra áreas de color negro en el cuello, y la espalda es marrón dorado. Tiene escamas lisas y brillantes, habituales en casi todos los escincos, así como un cuerpo largo y cilíndrico, y patas cortas. Se mueve culebreando con rapidez y es difícil de atrapar. Su historia natural es poco conocida, aunque se cree que vive en los suelos de la selva, entre los lechos de hojas.

Temperamento
Nerviosos y de movimientos rápidos. Se tranquilizan en cautividad, pero no les gusta que los toquen.

Habitáculo
Un terrario que mida 100 × 45 × 45 cm es adecuado para una pareja. Necesitan un sustrato profundo de hojas caídas o fibra de coco (o una mezcla de las dos) donde puedan enterrarse. Se hundirán trozos de madera muerta en el sustrato y se usarán plantas vivas para decorar. Es importante un recipiente con agua, y la calefacción consistirá en una unidad eléctrica y una lámpara de insolación en el techado. Se incluirá otra de luz UV.

Condiciones ambientales
Una temperatura ambiente de 23-28 °C con una zona más caliente bajo la lámpara de insolación, que sólo se encenderá de día. Necesitan un entorno relativamente húmedo y el sustrato debe estar ligeramente humedecido, pero no mojado.

Atención
De cinco a diez minutos al día.

Variedades
Ninguna.

Cuidados
Hay que darles de comer y pulverizar agua en la jaula a diario. Se les molestará lo menos posible en su terrario.

Alimentación
Insectos como grillos, larvas del lepidóptero *Pyralidae* y cucarachas, espolvoreados con un suplemento de vitaminas y minerales.

Reproducción
Pocas veces se intenta.

Inconvenientes
La falta de ejemplares a la venta criados en cautividad. No son adecuados para personas a las que les gusta tocar sus reptiles.

Gastos		
G. instalación		
G. corrientes		

Tamaño: Hasta 30 cm; machos más grandes que hembras.

Origen: África occidental.

Vida: Dato desconocido, pero por lo menos varios años.

▶ *Hermoso ejemplar de escinco, pero difícil de manipular.*

Scincus scincus

Pez de las arenas

PERFIL

Es un miembro interesante de la familia de los escincos que vive exclusivamente en arenas sueltas y barridas por el viento, bajo cuya superficie «nada» ejerciendo presión con las patas contra sus costados y culebreando con rapidez, igual que un pez. Las escamas son lisas y brillantes, y la cabeza, apuntada y con la mandíbula inferior suspendida para poder abrirse paso por la arena. La coloración de la librea varía, pero suele ser gris con unas diez bandas transversales y anchas de color amarillo o canela.

Temperamento
Se mueven con rapidez y rara vez se dejan ver, aunque se trata de una especie muy interesante.

Habitáculo
Un terrario de 60 × 45 cm es adecuado para una pareja o tres ejemplares. La altura no es importante y necesitan un sustrato de arena suelta de, como mínimo, 15 cm de profundidad. Nunca beberán agua de un recipiente, aunque se pueden pulverizar las paredes del terrario con agua al anochecer. Una lámpara de insolación es esencial y otra de luz UV tal vez resulte beneficiosa.

Condiciones ambientales
Mucho calor, hasta 40 °C o más justo debajo de la lámpara de insolación. A menudo sestean bajo la superficie, aunque en ocasiones salen nada más encenderse la lámpara de insolación por la mañana. Las condiciones deben ser sobre todo de sequedad, aunque la arena de un extremo del terrario se mantendrá un poco húmeda.

Atención
Cinco minutos al día.

Variedades
Hay varias subespecies, y otras tres especies de *Scincus*. La identificación puede resultar difícil, pero todas precisan condiciones similares. El *S. scincus*, originario de Egipto, es la especie más corriente en el mercado de mascotas.

Cuidados
Hay que facilitarles comida y pulverizar agua a diario.

Alimentación
Insectos, sobre todo larvas del lepidóptero *Pyralidae* y gusanos de la harina recién desprendidos. Ocasionalmente grillos y otros insectos, aunque tienen problemas para comer en la superficie. Todas las comidas se espolvorearán con un suplemento de vitaminas y minerales.

Gastos				
G. instalación				
G. corrientes				

Tamaño: Unos 15 cm.

Origen: África septentrional y Oriente Medio.

Vida: Dato desconocido, probablemente 5-10 años.

▲ *Este fascinante escinco presenta adaptaciones morfológicas que le ayudan a desplazarse en la arena.*

Reproducción
No se reproducen en cautividad.

Inconvenientes
La falta de ejemplares a la venta criados en cautividad. No se dejan ver; casi siempre están escondidos y fuera de nuestra vista.

Escinco de lengua azul

▲ *Escinco de lengua azul de Nueva Guinea.*

PERFIL

Es una de las especies más grandes de la familia y una de las mascotas más populares. Como la mayoría de los escincos, sus escamas son grandes y brillantes. Su librea es marrón con cierto número de bandas transversales oscuras por todo el cuerpo. Deben su nombre a su lengua de color azul brillante, que a veces usan como señal de advertencia, sacándola varios segundos sin dejar de sisear.

Temperamento

De hábitos diurnos, se mueven con lentitud y de forma deliberada. Son muy inteligentes, se interesan por su entorno y suelen domesticarse bien.

Habitáculo

Necesitan terrarios grandes; uno de 1,5 m × 60 cm de superficie es el espacio mínimo para uno o dos ejemplares. La altura no es importante. El sustrato será de trocitos de corteza o fibra de coco. Necesitan un recipiente con agua bastante grande para refrescarse y una caja de escondite. También habrá que instalar una lámpara de insolación y otra de luz UV.

Condiciones ambientales

Una temperatura ambiente de 23-28 °C con una zona más caliente de hasta 40 °C bajo la lámpara de insolación. Una lámpara de luz UV que enfoque el solario es esencial. Si el escinco tiene problemas para mudar de piel, la caja de escondite se tapizará con esfagno picado y

húmedo; si el problema persiste, se dejará permanentemente.

Atención

De diez a quince minutos al día.

Variedades

Hay otras especies de escinco de lengua azul, pero no se encuentran a la venta con facilidad.

Cuidados

Deben comer a diario y hay que pulverizar con agua y limpiar el terrario ocasionalmente.

Alimentación

Se comen casi cualquier cosa, pero su dieta debería consistir en verduras de hoja verde, como berros, col rizada y dientes de león, insectos como langostas y un poco de fruta. Todas las comidas se espolvorearán con un suplemento de vitaminas y minerales. Se le puede dar pienso para gatos en caso de necesidad.

Reproducción

La reproducción es difícil pero posible. Les gusta cazar presas vivas.

Inconvenientes

Son mascotas caras, necesitan jaulas grandes y mucho tiempo y dedicación. Pocas veces hay a la venta ejemplares criados en cautividad.

Gastos			
G. instalación			
G. corrientes			

Tamaño: Hasta 35 cm (otras especies son más pequeñas).

Origen: Nueva Guinea.

Vida: 20-30 años.

Tribolonotus gracilis

Escinco cocodrilo de ojos rojos

PERFIL

Uno de los escincos más inusuales, con la cabeza en forma de cuña y cuatro filas de escamas muy aquilladas que recorren la espalda. Por la cola continúa esta armadura con anillos de escamas espinosas, y también exhibe escamas adicionales en las patas y la nuca. Su librea es marrón, pero los ojos están rodeados por un anillo de color naranja brillante. Este escinco tan atípico también emite sonidos cuando se siente amenazado, y deposita cada vez un único huevo grande. Vive en hábitats húmedos en selvas y en claros de bosques.

Temperamento
Son tranquilos, de movimientos lentos y reservados.

Habitáculo
Necesitan grandes terrarios de al menos 100 × 45 × 45 cm. Deberían llenarse hasta una profundidad de 15 cm con fibra de coco mezclada con hojas muertas y trocitos de madera, para que los escincos puedan abrir sus huras. Son buenos nadadores, y a veces permanecen en el agua durante mucho tiempo, por lo que también necesitan un recipiente grande con agua. Vale la pena introducir en el terrario plantas vivas.

Condiciones ambientales
Humedad y calor, con una temperatura ambiente de 23-25 °C. Se encenderá durante el día una lámpara de insolación, para elevar la temperatura bajo ella hasta 30 °C, y también se instalará otra de luz UV. Necesitan humedad y el sustrato deberá estar húmedo, pero no mojado, para abrirse paso con facilidad.

Atención
De diez a quince minutos al día.

Variedades
Hay otras siete especies, pero ninguna entra en el mercado de mascotas, con la posible excepción del *T. novaeguineae*, que se importa en muy pocas ocasiones.

Cuidados
Hay que darles de comer y pulverizar con agua a diario.

Alimentación
Insectos como cucarachas, grillos y larvas del lepidóptero *Pyralidae*, espolvoreados con un suplemento de vitaminas y minerales, sobre todo para hembras reproductoras.

Gastos			
G. instalación			
G. corrientes			

Tamaño: Hasta 18 cm.

Origen: Nueva Guinea.

Vida: Dato desconocido, probablemente mucho tiempo, tal vez 20 años o más.

Reproducción
Se reproducen en cautividad, pero sólo depositan un huevo muy grande cada vez.

Inconvenientes
Son poco corrientes y caros, y la venta de ejemplares jóvenes criados en cautividad es muy limitada.

▲ *Es una especie muy poco habitual tanto por su aspecto como por su comportamiento.*

Tupinambis merianae

Tejú gigante o lagarto overo

PERFIL

Es una especie que externamente se asemeja a los varanos, pese a no guardar con ellos estrechos lazos de familiaridad y proceder de América del Sur (los varanos son originarios de África, Asia y Australasia). Son de gran tamaño con escamas brillantes; en el caso del tejú argentino, blancas y negras. Tienen largas lenguas que sacan constantemente para explorar su entorno, parecen muy inteligentes y siempre están atentos a lo que ocurre a su alrededor.

dependerá de un foco de luz en un extremo del terrario y también se necesitará una lámpara de luz UV.

Condiciones ambientales

Una temperatura ambiente de 25-30 °C con una zona más caliente, hasta 40 °C, bajo la lámpara de insolación de día. La humedad debe ser elevada: hay que pulverizar el terrario ocasionalmente y depositar un recipiente grande con agua.

Gastos			
G. instalación			
G. corrientes			

Tamaño: 41-1,5 m; machos más grandes que las hembras.

Origen: América del Sur.

Vida: 10-15 años.

Cuidados

A diario hay que darles de comer y atender el mantenimiento general del terrario. Cuanto más tiempo de atención, mejor. Les gusta que los saquen del terrario para explorar los alrededores.

▲ *Ejemplar joven de tejú gigante.*

Alimentación

Insectos y pequeños roedores, o roedores más grandes, pollos y huevos cuando llegan a adultos. Pueden seguir una dieta artificial.

Temperamento

Criados en cautividad son tranquilos e interactúan con sus amos.

Habitáculo

Necesitan un terrario muy grande: mínimo 2 × 1 × 1 m para uno o dos adultos. Debe contar con un sustrato de fibra de coco, corteza de orquídeas o algo parecido, y una o dos ramas o troncos. Es esencial una caja de escondite y un recipiente con agua. La calefacción

Atención

De diez a veinte minutos al día. El tiempo que se pase en contacto con él será bien pagado con una mayor interacción con el dueño.

Variedades

No hay variedades, aunque sí otras especies de tejú. El tejú gigante de Argentina es el mejor como mascota y el que se cría con más frecuencia.

Reproducción

No es fácil en cautividad, porque necesitan muchísimo espacio.

Inconvenientes

Su gran tamaño; los ejemplares recién salidos del cascarón crecen con rapidez y en seguida serán lagartos con gran apetito. Sólo los jóvenes criados en cautividad se domestican en grado suficiente como para ser mascotas aceptables.

Eremias species

Lagarto de estepa

PERFIL

Estos lagartos, de los que hay más de treinta especies, todas muy parecidas, son una aportación reciente al mundo de las mascotas. De movimientos rápidos, con la cabeza apuntada, largas patas y larga cola, la mayoría lucen una librea listada en cierto grado. Las importaciones suelen ser ejemplares de *Eremias velox*, una de las especies más comunes, que exhibe una fila de manchas azules a cada lado. Todas viven en espacios abiertos y áridos de Asia central, y su esperanza de vida parece ser muy corta, pues alcanzan la madurez al cabo de un año.

Temperamento
Rápidos y muy ágiles, resulta complicado manipularlos.

Habitáculo
Necesitan un terrario grande, de hasta 100 × 45 cm de superficie. La altura no es importante, pero la jaula estará techada. Debe contar con un sustrato de arena y rocas

dispersas, y con un recipiente con agua. Es esencial una lámpara de insolación y otra de luz UV.

Condiciones ambientales
Mucho calor; las temperaturas bajo la lámpara de insolación deben alcanzar los 40 °C por lo menos, aunque habrá una zona del terrario más fresca donde el lagarto pueda retirarse.

Atención
De cinco a diez minutos al día.

Variedades
Hay varias especies en el mercado de mascotas, pero las diferencias entre ellas suelen ser tan ligeras que la identificación exacta es complicada.

Gastos		
G. instalación		
G. corrientes		

Tamaño: Unos 15 cm.

Origen: Asia central y sur de China.

Vida: 1-2 años.

Cuidados
Darles de comer y pulverizar ligeramente con agua la jaula a diario, porque no suelen beber del recipiente.

Alimentación
Insectos pequeños, como grillos, espolvoreados con un suplemento de vitaminas y minerales.

Reproducción
No se crían en cautividad.

Inconvenientes
Son muy difíciles de manipular y probablemente no vivan demasiado. Es un reto conseguir que prosperen el tiempo que logren sobrevivir.

▶ *De vez en cuando hay a la venta lagartos de estepa de diversas especies, por ejemplo,* Eremias przewalskii *(arriba) y* E. velox *(abajo).*

Takydromus sexlineatus

Lagartija de cola larga

PERFIL

Lagartija muy poco corriente de la familia de lagartijas roqueras. Aunque pequeña, la cola suma tres cuartos de su longitud total, y la usa para impulsarse por los densos herbazales y la vegetación. Su librea es marrón o rojiza con rayas más oscuras o más claras que recorren todo el cuerpo. Algunas son de color verde claro por debajo, aunque la mayoría tienen el vientre blanco o crema.

Temperamento

Siempre alerta y de movimientos rápidos; se muestran activas durante el día y se dejan ver.

Habitáculo

Un terrario grande para una pareja o un grupo reducido, de al menos 60 × 30 cm de superficie y 60 cm de altura, para encaramarse a las ramas y corretear por entre la vegetación. Necesitan una lámpara de insolación y otra de luz UV, las dos situadas sobre el solario en un extremo del terrario, así como un recipiente pequeño con agua.

Condiciones ambientales

Poco exigentes; una temperatura ambiente de unos 20°-25 °C, y un solario para sestear donde se alcancen los 30 °C. Hay que pulverizar con agua cada día para elevar temporalmente la humedad.

Atención

De cinco a diez minutos al día.

Variedades

No hay, aunque sí otras especies del mismo género, si bien pocas veces se importan o ponen a la venta.

Alimentación

Insectos pequeños, como grillos y una mezcla de insectos diminutos capturados en la naturaleza, espolvoreados con un suplemento de vitaminas y minerales.

Gastos				
G. instalación				
G. corrientes				

Tamaño: Hasta 30 cm; la mayor parte de cola.

Origen: Sur de Asia y China.

Vida: Dato desconocido, probablemente 4 años o más.

Cuidados

Hay que darles de comer y pulverizar con agua la jaula a diario.

Reproducción

Por desgracia, pocas veces se ha intentado, aunque debería ser fácil. Depositan huevos.

▲ *La lagartija de cola larga es habitual en el mercado de mascotas. Otros miembros de este género son parecidos, pero se ven pocas veces; su larguísima cola la distingue del resto de la familia.*

Inconvenientes

La falta de ejemplares a la venta criados en cautividad. La calidad de los animales importados es variable y hay que evitar los ejemplares delgados, porque podrían estar parasitados, deshidratados o las dos cosas.

Gerrhonotus multicarinatus

Lagarto escorpión sureño

PERFIL

Especie de tamaño medio con cuerpo esbelto, la cola larga y las patas cortas. Sus escamas están fuertemente aquilladas y las quillas se alinean formando una serie de crestas paralelas que recorren el cuerpo. Con franjas transversales oscuras en la espalda, motas blancas en los flancos y escamas dispersas de color naranja. Vive en herbazales, campos y claros de bosques, a menudo en biotopos húmedos, escondido bajo troncos y entre la vegetación espesa.

aunque será menor por la noche si fuera necesario. El área bajo la lámpara de insolación alcanzará por lo menos 30 °C, y la lámpara de luz UV se concentrará en la misma área. La capa superior del sustrato estará seca, aunque también habrá debajo otra capa ligeramente húmeda. Esta especie se presta a que se la dote de paisajes naturalistas, lo cual permite crear multitud de hábitats.

Gastos				
G. instalación				
G. corrientes				

Tamaño: 10-17 cm.

Origen: Oeste de América del Norte.

Vida: Muchos años, probablemente 10 o más.

Temperamento
De temperamento plácido y movimientos lentos, se adaptan bien a la vida en cautividad.

Habitáculo
Un terrario de 100 × 45 × 45 cm es adecuado para una pareja o un grupo reducido, y estará cubierto con una capa espesa de hojas y, encima y esparcidos, trozos de corteza, ramas muertas y láminas de musgo. Es esencial un recipiente con agua. Se necesita una lámpara de insolación bajo la cual sestear, y se recomienda otra de luz UV.

Condiciones ambientales
Una temperatura ambiente de 20-25 °C es adecuada,

▲ *Son una especie atractiva y poco exigente, pero no siempre hay ejemplares en venta.*

Atención
De cinco a diez minutos al día, y se dedicará más tiempo ocasional para limpiar y mantener los paisajes más complicados.

Variedades
Hay varias subespecies que varían ligeramente de coloración, y también otras especies, como la lagartija caimán del norte, *Gerrhonotus coeruleus*, que requiere condiciones similares. Esta última es ovovivípara, mientras que el lagarto escorpión sureño pone huevos.

Cuidados
Darles de comer y pulverizar un poco con agua la jaula a diario.

Alimentación
Babosas, caracoles, insectos como grillos y ratoncitos. Sus mandíbulas son poderosas y se atreven con casi todas las presas pequeñas.

Reproducción
Pocas veces se ha intentado.

Inconvenientes
La falta de ejemplares a la venta criados en cautividad.

Lagarto ápodo europeo

PERFIL

Es un lagarto muy grande y sin patas, originario de Europa oriental y con anterioridad clasificado como una especie del género *Ophisaurus*. La cabeza es grande, el cuerpo es cilíndrico, con un pliegue de epidermis que se prolonga por los flancos, y de color marrón, más claro por debajo, con la cabeza de color canela. Los jóvenes son de color gris con franjas de color marrón oscuro por todo el cuerpo. Viven en herbazales abiertos; suelen ser visibles desde muchos metros y se mueven como serpientes.

▲ *Los párpados y los orificios para los oídos los distingue de las serpientes.*

Temperamento

No les gusta ser manipulados y pueden morder o rociar al captor con el contenido maloliente de sus intestinos. Pueden darse vuelta con rapidez si se los sostiene, e incluso desprenderse de la cola. A menudo se domestican en cautividad y se pueden tener en las manos períodos cortos.

Habitáculo

Se necesita un terrario grande de 100 × 45 × 45 cm como mínimo,

aunque es mejor más grande. Necesitan un sustrato en el que se puedan enterrar, como fibra de coco o un lecho de hojas, y multitud de trozos de madera y corteza para esconderse. La calefacción de día puede consistir en una lámpara de insolación, aunque por la noche la temperatura ambiente es adecuada.

Condiciones ambientales

Una temperatura de 25 °C debajo de la lámpara de insolación, y habrá que proporcionar luz UV. El sustrato estará seco o ligeramente húmedo.

◄ *Los lagartos ápodos de América del Norte son más pequeños y pertenecen al género* Ophisaurus.

Gastos			
G. instalación			
G. corrientes			

Tamaño: Hasta 135 cm.

Origen: Europa oriental y Asia central.

Vida: Dato desconocido, quizá 10-20 años o más.

Atención

De diez a quince minutos al día.

Variedades

Ninguna. Hay especies parecidas como el lución, *Anguis fragilis*, y los lagartos ápodos de América del Norte, de la especie *Ophisaurus*.

Cuidados

Darles de comer y pulverizar ligeramente con agua la jaula a diario. Hay que limpiar el terrario.

Alimentación

Les gustan los caracoles y las babosas, pero también comen muy distintos alimentos de origen animal, como insectos, ratones y alimento para perros y gatos, que sólo tomarán ocasionalmente.

Reproducción

No se reproducen en cautividad.

Inconvenientes

La gran cantidad de espacio que necesitan y la falta de ejemplares jóvenes criados en cautividad.

Varano acuático o varano malayo

PERFIL

Es un lagarto muy grande, probablemente la especie más descomunal del mercado de mascotas, y sus cuidados no son un tema baladí. Los varanos acuáticos, originarios del sur y suroeste de Asia, son habituales en los cursos de agua, donde sestean sobre troncos y en las orillas fangosas de los ríos. A menudo son habituales en las cercanías de pueblos y ciudades, donde se alimentan de carroña, e incluso de asaduras.

▲ *La librea de los varanos acuáticos jóvenes es muy atractiva.*

Temperamento
Impredecible. Los varanos grandes a veces dan mordiscos, arañan con sus garras y usan la cola a modo de látigo. Las heridas causadas por los varanos se suelen infectar. Si se han criado con personas desde que salieron del huevo, se habitúan a la vida en cautividad y su manipulación es más llevadera.

Habitáculo
Aunque los recién nacidos se puedan conservar en terrarios de 1 metro de largo, crecen con rapidez y al final necesitan jaulas grandes como las de los zoológicos. Deberá tener un sustrato de virutas de madera y trocitos de corteza, varias ramas grandes para encaramarse y un recipiente muy grande con agua, lo bastante como para sumergirse por completo. Debería haber una lámpara de insolación potente, y aunque sea incierto si necesitan luz UV, habrá una lámpara en uno de los extremos.

Condiciones ambientales
Una temperatura ambiente de 25-30 °C y un solario donde se alcancen los 40 °C durante parte del día. El terrario se pulverizará exhaustivamente con agua cada uno o dos días para elevar la humedad.

Atención
De quince a treinta minutos al día.

Gastos			
G. instalación			
G. corrientes			

Tamaño: 2 m o más; los machos son más grandes.

Origen: Sur y sureste asiáticos.

Vida: Hasta 25 años o más.

Variedades
Ninguna. Otros varanos de grandes dimensiones con requisitos similares son el varano de la sabana y el varano del Nilo.

Cuidados
Hay que darles de comer a diario y ponerles un recipiente con agua fresca.

Alimentación
Roedores muertos, pollos, peces y huevos. Todas las comidas se espolvorearán con un suplemento de vitaminas y minerales.

Reproducción
No se reproducen en cautividad.

Inconvenientes
Su tamaño y la incertidumbre de sus reacciones.

▼ *Los adultos echan tripa y desarrollan una cola muy musculosa y unas extremidades poderosas; no siempre son fáciles de manipular.*

Varanus acanthinurus

Varano de cola espinosa

PERFIL

Es una de las especies más pequeñas de este amplio género y, por tanto, una buena opción para su conservación en cautividad. Se domestican con facilidad y su reproducción es prolífica, lo cual garantiza que siempre haya un buen número de ejemplares jóvenes a la venta. Como todos los varanos, tiene la cabeza larga y apuntada, y el cuello también es largo. El cuerpo es cilíndrico transversalmente, y la cola, que es más larga que la cabeza y el cuello juntos, es gruesa por la base y está cubierta de escamas espinosas, a las cuales debe su nombre. La librea es de un intenso color marrón, a veces marrón rojizo, con motas más claras por todo el cuerpo. Presenta una línea clara que cruza los ojos y sigue por el cuello, lo cual distingue esta especie de otras muy afines.

Vive en regiones áridas, donde funda pequeñas colonias en afloramientos rocosos. Su cuerpo estrecho le permite escurrirse por las grietas, y, una vez dentro, hincha el cuerpo para quedarse atrancado, con lo cual es casi imposible desalojarlo. También usa la cola espinosa para proteger el cuerpo o como un arma para fustigar a sus enemigos. Son buenos escaladores, aunque no tienen las mismas oportunidades de trepar a los árboles que los varanos de hábitat selvático. Son grandes depredadores y comen lagartijas, mamíferos y grandes insectos.

▲ *Todos los varanos tienen la lengua larga y bífida.*

Temperamento

Son nerviosos por naturaleza, pero se domestican con facilidad. Todos los varanos son muy inteligentes e interactúan con sus dueños. Prefieren subirse a la mano o el brazo a que los agarren con fuerza.

Habitáculo

Un terrario grande, de 1,5 m × 60 cm de superficie, es el tamaño mínimo para una pareja o trío (un macho y dos hembras) de adultos. La altura no es tan importante, aunque sí habrá que techarlo. Los ejemplares jóvenes viven en grupos reducidos en terrarios más pequeños, aunque crecen con rapidez. El sustrato será de arena o grava, o una mezcla de ambas. Se dispondrán montoncitos de lajas para que se encaramen y sesteen al sol, y se comprobará que sean estables; si fuera necesario, se fijarán unas piedras a otras con un pegamento de silicona. Es esencial una lámpara de insolación potente y otra de luz UV en un extremo del terrario para crear un gradiente térmico.

▼ *El varano de cola espinosa hace honor a su nombre.*

Condiciones ambientales

Calor y sequedad, con una temperatura ambiente de 25-30 °C, y un solario bajo una lámpara de insolación donde la temperatura alcance por lo menos los 40 °C. Habrá un recipiente con agua limpia, y se recomienda pulverizar ocasionalmente con agua a los varanos.

Atención

Quince minutos al día.

Variedades

Las variedades «roja» y «amarilla» tal vez no sean más que subespecies o endemismos regionales. Además de esta diversidad, existen otros varanos enanos que en ocasiones están en venta en las tiendas, como el varano Argus, *Varanus panoptes*, o el varano de cola azul, *Varanus doreanus*. Aunque sus cuidados sean grosso modo similares, hay que tener en cuenta su hábitat natural al diseñar el terrario y al crear su entorno o paisaje.

Cuidados

Darles de comer a diario y limpiar el terrario de vez en cuando.

▶ *El varano de Argus es una de las especies de librea más atractiva.*

Alimentación

Insectos grandes como cucarachas y langostas adultas; ocasionalmente ratones y ratas recién nacidos, trocitos de carne magra y huevos crudos. Los insectos deben constituir la mayor parte de su dieta y se espolvorearán con un suplemento de vitaminas y minerales. Los varanos muestran tendencia a la obesidad si consumen muchos alimentos ricos en proteínas.

Reproducción

Se reproducen sin problemas en cautividad.

Inconvenientes

La gran cantidad de espacio que hay que dedicar a su terrario.

▶ *Cabeza estrecha de un varano de cola azul,* V. doreanus.

Gastos			
G. instalación			
G. corrientes			

Tamaño: Hasta 75 cm, en su mayor parte de cola.

Origen: Australia septentrional y oriental.

Vida: Muchos años, probablemente más de 20.

Culebras y serpientes

■ Culebras y serpientes son reptiles cuyo número de especies reconocidas ha llegado a 3.378 y se distribuyen casi por todo el planeta, aunque la mayoría se concentra en las regiones tropicales. Sus dimensiones son muy variables, desde menos de 30 cm hasta más de 8 m de longitud, con el cuerpo grueso o estilizado, y de colores mates o brillantes. Algunas especies son venenosas (no aparecen en este libro), mientras que otras estrangulan a sus presas o se limitan a inmovilizarlas para engullirlas. Todas las especies son carnívoras, aunque sus presas sean muy variadas, desde hormigas hasta antílopes, sobre todo dependiendo del tamaño de la serpiente. Sólo una pequeña proporción se conserva habitualmente en cautividad, y algunas especies son las favoritas: boas y pitones, serpientes ratoneras y serpientes reales suman la gran mayoría de los ofidios que se conservan y crían en cautividad. La mayoría de estas serpientes comen roedores, o aves y mamíferos un poco más grandes, que se suelen poder comprar congelados y se descongelan cuando hace falta. Las serpientes no precisan suplementos de vitaminas y minerales, ni tampoco luz ultravioleta, excepto, posiblemente, algunas pocas especies diurnas —rara vez comercializadas—, que sí se benefician de estos complementos.

■ En general, las serpientes son criaturas reservadas, muchas de las cuales son de hábitos estrictamente nocturnos. Por esa razón no siempre son los animales apropiados si nos gusta verlos. Muchos herpetólogos se contentan sólo con saber que el cajón de arena aparentemente vacío, o las virutas de madera o la corteza están sin duda habitados por un ofidio que tal vez sólo se deje ver voluntariamente una vez a la semana. Aunque les privemos de escondrijos, eso no les obligará a ser más dóciles, sino que conseguiremos el efecto contrario. La mayoría de las serpientes se manipulan con seguridad y se acostumbran al contacto físico, pero no es seguro que disfruten con ello: es probable que algunos herpetólogos no estén de acuerdo con esta opinión. Incluso las serpientes no venenosas muerden, y los mordiscos de las especies más grandes resultan dolorosos. Las serpientes muy grandes no deben convivir con niños pequeños.

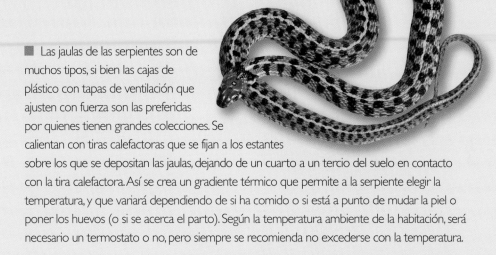

■ Las jaulas de las serpientes son de muchos tipos, si bien las cajas de plástico con tapas de ventilación que ajusten con fuerza son las preferidas por quienes tienen grandes colecciones. Se calientan con tiras calefactoras que se fijan a los estantes sobre los que se depositan las jaulas, dejando de un cuarto a un tercio del suelo en contacto con la tira calefactora. Así se crea un gradiente térmico que permite a la serpiente elegir la temperatura, y que variará dependiendo de si ha comido o si está a punto de mudar la piel o poner los huevos (o si se acerca el parto). Según la temperatura ambiente de la habitación, será necesario un termostato o no, pero siempre se recomienda no excederse con la temperatura.

■ Además del sustrato y de una caja de escondite, todas las serpientes necesitan un recipiente con agua potable, que siempre debe estar limpia y que, si es lo bastante grande para refrescarse, evitará problemas con la muda de la piel. Otros elementos como trozos de madera, trozos de corteza, rocas, etc., se añadirán de acuerdo con el gusto del dueño, pero no suelen ser objetos esenciales. No obstante, hay algunas serpientes cuyas necesidades son más especiales, como es el caso de especies arborícolas y semiacuáticas, o el de las especies pequeñas que excavan galerías, cuyo estilo de vida se deberá tener en cuenta al preparar el terrario.

■ Las serpientes se reproducen en cautividad con más facilidad que la mayoría de los otros reptiles y anfibios, y por eso hay muchos ejemplares jóvenes criados en cautividad en las tiendas. Algunas especies, como ciertas pitones y las serpientes del maizal, se venden en una oferta caleidoscópica de colores y libreas diferentes. Son populares y tienen sus entusiastas, mientras que otros aficionados prefieren las variedades que se dan sólo en la naturaleza; lo importante es elegir ejemplares sanos y bien alimentados sobre otras consideraciones.

Antaresia childreni

Pitón de Children australiana

PERFIL

Esta especie, la más pequeña de las pitones normalmente a la venta, es originaria de Australia. De tonos marrones, presenta muchas manchas, más oscuras en los ejemplares jóvenes, pero que se van difuminando a medida que crecen, hasta el punto de que la librea de los adultos es de un color marrón uniforme. Es una especie esbelta de cabeza estrecha. Debe su nombre a J. G. Children, que trabajaba en el Museo Británico; aunque esto no significa que sea especialmente apropiada para niños. Vive en muy variados hábitats, como colinas rocosas, cuevas, herbazales e incluso en las ciudades.

Temperamento
Son dóciles y de fácil manipulación. En ocasiones muerden.

Habitáculo
Un terrario que mida unos 60 × 45 × 45 cm es adecuado para una pitón adulta. El sustrato será de virutas de madera o corteza para reptiles, y hay que incluir una caja de escondite y un recipiente con agua. La serpiente no hará caso casi nunca a las ramas para trepar.

Condiciones ambientales
Una temperatura de 25-35 °C, con un gradiente térmico entre el extremo más cálido y el más fresco del terrario.

Atención
De cinco a diez minutos al día.

◄▲ *La pitón de Children es una especie pequeña que se acomoda con facilidad si el espacio es limitado.*

Gastos			
G. instalación			
G. corrientes			

Tamaño: 60-80 cm; en ocasiones son más largas.

Origen: Australia septentrional.

Vida: Al menos 25 años, probablemente más.

Variedades
Ninguna, pero sí hay especies parecidas: la pitón moteada o *Liasis maculosus* también está en el mercado (a veces se confunden ambas especies). Sus necesidades son parecidas a las de la pitón de Children.

Cuidados
Darle de comer cada una o dos semanas, y proporcionarle agua fresca y limpiar el terrario según necesidad.

Alimentación
Mamíferos pequeños como ratones. Las serpientes muy jóvenes a veces son reacias a comer ratones, aunque los acabarán comiendo. Si fuera necesario, se añadirá aroma de lagarto al ratón recién nacido.

Reproducción
Mucha.

Inconvenientes
No tienen un colorido espectacular, pero en el resto de los aspectos son una buena elección.

Morelia viridis

Pitón arborícola verde

PERFIL

Es una especie espectacular que a veces recibe el nombre de «condro», en referencia a su antiguo nombre científico, *Chondropython viridis*. Es de hábitos arbóreos y de brillante librea verde con una fila de motas pálidas, o con una línea pálida en toda su espalda. Es esbelta (para ser una pitón), con la cabeza grande y prominentes fosetas termosensibles alrededor de la boca. Las jóvenes son de un amarillo brillante, e incluso rojo, y cambian de color cuando maduran. Originaria de los bosques tropicales, es predominantemente arbórea (se enroscan en ramas horizontales).

Temperamento
Las crías muerden a veces, pero las adultas suelen serenarse y se pueden manipular con seguridad.

Habitáculo
Un terrario alto de 75 × 75 × 100 cm de altura es el tamaño mínimo para una pitón adulta. Habrá varias

▲ *Estas pitones a menudo se enroscan en ramas horizontales.*

ramas horizontales (los palos de escoba son buenos sustitutos) fijas a distintas alturas. Se necesita una lámpara de insolación, un sustrato de virutas de madera, toallas de papel, corteza de orquídeas o musgo, y un recipiente con agua.

Condiciones ambientales
Una temperatura ambiente de 25-30 °C con un solario donde sestear. La temperatura bajo la lámpara de insolación debería alcanzar los 35 °C durante el día. La humedad será baja a menos que la serpiente tenga problemas para mudar la piel, en cuyo caso habrá que pulverizar la jaula a fondo con agua todos los días hasta que la muda haya concluido.

Atención
De diez a veinte minutos al día.

Variedades
No existen, aunque especímenes de las diversas islas de Indonesia a menudo difieren entre sí y se identifican por el lugar de origen, como «Aru» o «Biak», si bien casi todos los ejemplares en cautividad tienen una mixtura de ancestros.

Cuidados
Darles de comer cada una o dos semanas. Se rellenará el recipiente de agua y se pulverizará la jaula o se limpiará según haya necesidad.

Gastos				
G. instalación				
G. corrientes				

Tamaño: 1,5-2 m.

Origen: Australia y Nueva Guinea.

Vida: 25-30 años.

▼ *Los ejemplares jóvenes son de color amarillo brillante el primer año de vida.*

Alimentación
Mamíferos de pequeño tamaño como ratones y ratas. Es preferible que los alimentos sean pequeños y se le ofrecerán con unas pinzas largas.

Reproducción
La reproducción precisa de los conocimientos de un especialista.

Inconvenientes
No siempre son fáciles de manipular, algunas crías son reacias a comer y más delicadas que las otras pitones.

Pitón de alfombra y pitón diamantina

PERFIL

La pitón de alfombra adopta muchas libreas en su amplia distribución por Australia y Nueva Guinea. Su coloración es predominantemente gris, marrón, rojiza, negra y amarilla, o cualquier color intermedio. Su dibujo suele consistir en complejas manchas de bordes oscuros interconectadas sobre un fondo más claro, o puede ser al contrario, es decir, manchas claras sobre un fondo más oscuro. A veces las manchas se disponen por el cuerpo mediante bandas indistintas, y en otras ocasiones tal vez haya motas pálidas sobre un fondo más oscuro, como en el caso de la pitón diamantina, que es una de varias subespecies. Las pitones de alfombra en cautividad a menudo carecen de información sobre su origen exacto, aunque reciben muchos nombres para distinguirlas, como pitón de alfombra «de la selva», pitón de alfombra «costera» y pitón de alfombra «de Irian Jaya». Pese a esto, la pitón de alfombra es una serpiente atractiva en todas sus libreas.

▲▼ *Las pitones de alfombra «de la selva» tienen una brillante librea de manchas amarillas y negras.*

Ocupa gran variedad de hábitats, desde selvas tropicales hasta herbazales. Es ágil, con gran habilidad para trepar, y se suele hallar en el entorno de edificios abandonados o dentro de éstos, y también en cobertizos, o a veces en los tejados. No vive en el interior árido de Australia. En áreas en las que hace mucho frío, hibernan varios meses.

Temperamento

Es muy variable. La mayoría se consiguen domesticar y son fáciles de manipular, sobre todo si se ha hecho con cuidado cuando eran jóvenes. Otras tienen mal genio y los ejemplares grandes pueden dar dolorosos mordiscos. Existe cierta correlación entre las diversas formas: las pitones de alfombra de Irian Jaya suelen ser muy apacibles y mansas, mientras que las pitones de alfombra de la selva en ocasiones son ariscas.

Habitáculo

Un terrario grande de 100 × 50 × 50 cm es el tamaño mínimo para una pitón adulta. Habrá un sustrato de virutas de madera, una o dos cajas de escondite y algunas ramas robustas para que la serpiente se encarame. El terrario también contendrá un recipiente grande con agua.

Condiciones ambientales

Hay que crear un gradiente térmico entre 20 y 30 °C. Esto se logra con una unidad eléctrica bajo el terrario o con una lámpara de insolación, que estará a buen recaudo para que la serpiente no sufra quemaduras. Las serpientes siempre encuentran el lugar más cálido después de comer para favorecer la digestión. La humedad será baja.

Atención

De cinco a quince minutos al día.

Variedades

Como se mencionó arriba, la pitón de alfombra adopta numerosas libreas o subespecies. Debería haber alguna para todo el

mundo, pero si esto no es suficiente, en el mercado existen además varios «morfos» creados artificialmente. La pitón diamantina es una subespecie diferente, *Morelia spilota spilota*, y la pitón de alfombra del interior, *Morelia bredli*, es una especie distinta. La primera pocas veces se conserva en cautividad, mientras que la segunda, de gran belleza, está adquiriendo popularidad.

Cuidados

Hay que darles de comer cada una o dos semanas (las crías

▼ *La pitón diamantina es una subespecie de la pitón de alfombra, pero tiene necesidades muy distintas y no es fácil de conservar ni que se reproduzca.*

tienen que comer más a menudo que las pitones adultas).

Alimentación

Mamíferos de pequeño tamaño, como ratones y ratas.

Reproducción

Se reproducen bien en cautividad y pueden ser prolíficas.

Gastos			
G. instalación			
G. corrientes			

Tamaño: 2-3 m. Muy esbeltas.*

Origen: Australia y Nueva Guinea.

Vida: Hasta 30 años o más.

Los especímenes muy grandes son poco corrientes, aunque varía con las subespecies.

▲ *La pitón* Morelia bredli *es una hermosa especie; las adultas adquieren un intenso color marrón.*

Inconvenientes

Necesitan mucho espacio y a veces son muy desconfiadas: elige una que esté acostumbrada a que la manipulen. En muchos sentidos, la pitón de alfombra es una buena elección para todo el que quiera poseer un ofidio moderadamente grande.

Python breitensteini

Pitón sangre de Borneo

PERFIL

Serpiente de cuerpo muy pesado, pero con la cabeza aplastada y pequeña. Luce manchas de vivo color castaño sobre un fondo amarillo o canela. Aunque la forma y el tamaño de las manchas difieran de un ejemplar a otro, no existe una gran variación de color como en otras pitones. Es una especie de carácter reservado y originaria de Borneo,

donde suele ocupar humedales en selvas y plantaciones. Su cola tan corta (sólo un 10 % de su longitud total) es la razón de su nombre alternativo en inglés: pitón de cola corta de Borneo.

Condiciones ambientales

Una temperatura ambiente de 25-35 °C, y proyectar calor sobre un extremo del terrario para crear un gradiente térmico entre la parte más fría y la más caliente de la jaula.

Atención

De cinco a diez minutos; más tiempo para limpiar.

◄ *Aunque sea una serpiente pesada, la pitón sangre de Borneo no es muy activa y se contenta con una jaula relativamente pequeña. Manipularla habitualmente mantendrá su domesticidad.*

Gastos			
G. instalación			
G. corrientes			

Tamaño: Hasta 2 m o más.

Origen: Borneo.

Vida: 25 años o más.

Temperamento

Suelen ser muy pacíficas y no muestran tendencia a morder, aunque lo harán con la velocidad del rayo si fuera necesario.

Habitáculo

Un terrario de al menos 150 × 75 cm es ideal para una pitón adulta. La altura no es importante. Son necesarios un sustrato de virutas de madera, una caja de escondite y un recipiente con agua limpia bastante grande para que se refresque.

Variedades

Ninguna hasta el momento.

Cuidados

Comen cada una o dos semanas; el agua se cambiará a diario y habrá que limpiar el terrario. Responde bien si se la manipula habitualmente.

Alimentación

Mamíferos de pequeño tamaño, como ratones y ratas. Sus comidas son relativamente copiosas.

Reproducción

Se reproducen con facilidad. Como otras pitones, las hembras se enroscan sobre los huevos y los incuban.

Inconvenientes

Su gran tamaño.

Python brongersmai

Pitón sangre de Malasia

PERFIL

La pitón sangre, también llamada pitón de cola corta, es una especie corpulenta del sureste asiático. Su librea luce un dorso de color canela, naranja o rojizo con una serie de manchas claras en el centro de la espalda y en los flancos —éstas tienen el centro oscuro—. Es propia de las selvas tropicales y ocupa los cursos de los ríos y las ciénagas. Es un típico depredador de «acecho» que se mantiene oculto hasta que la presa queda a su alcance.

Temperamento

Algunos ejemplares de esta especie tienen mal genio y muerden sin avisar, mientras que otros son dóciles y de sencilla manipulación, así que resultan impredecibles.

Habitáculo

Un terrario que mida al menos 150 × 75 cm es el tamaño para una pitón adulta. La altura no es importante. Un sustrato de virutas de madera es adecuado y habrá un recipiente con agua limpia lo bastante grande como para que la serpiente se pueda refrescar. Es esencial la presencia de una caja de escondite grande.

Condiciones ambientales

Deben disfrutar de una temperatura de 25-35 °C, y existirá un gradiente térmico entre la parte más cálida y la más fresca del terrario.

Atención

De cinco a veinte minutos al día.

Variedades

Variante albina. La pitón sangre de Sumatra, *P. curtus*, es de tamaño y morfología similares, pero su librea es muy oscura. A menudo reina la confusión a la hora de distinguirlas, ya que antes ambas se consideraban subespecies de una misma especie.

Cuidados

Comen cada una o dos semanas, y habrá que cambiar el agua a diario y limpiar el terrario de vez en cuando.

Alimentación

Mamíferos como ratones, ratas y conejos, también aves como pollos.

Reproducción

Se reproducen sin problemas.

Inconvenientes

Su gran tamaño y su temperamento impredecible.

Gastos			
G. instalación			
G. corrientes			

Tamaño: 2 m. Pesan mucho.

Origen: Sureste asiático (península malaya y Sumatra oriental).

Vida: 25 años o más.

◀ *La pitón sangre de Sumatra exhibe una librea de manchas características, aunque muy variables. Tiende a crecer más que otras pitones sangre.*

Python molurus bivittatus

Pitón de Birmania

PERFIL

Es una de las especies más grandes del mundo y es muy popular entre los herpetólogos a los que les gustan las mascotas voluminosas. Se adapta bien a la vida en cautividad, suele domesticarse con facilidad y su librea adopta colores y dibujos muy variados. En la naturaleza, su color es canela o pardo con manchas grandes de intenso marrón en la espalda y los costados. Son más oscuras hacia los bordes. Siempre exhiben una mancha característica con forma de flecha encima de la cabeza. Su librea muestra muchas variaciones según su origen geográfico o a la cría selectiva.

En la naturaleza, vive en selvas tropicales, pero también abunda cerca de poblados y otras poblaciones, donde acude atraída por la comida en forma de gusanos y animales domésticos. Los ejemplares pequeños son buenos escaladores, aunque a medida que adquieren más volumen tienden a quedarse en tierra, entre las hojas muertas, ocultos entre vegetación rastrera o en cuevas de los afloramientos rocosos. En las áreas más

frías de su distribución geográfica tal vez hibernen durante el invierno; su tolerancia al frío ha permitido que los ejemplares que han huido sobrevivan, e incluso se reproduzcan, en zonas de Florida, donde esta especie se ha convertido en una plaga y se alimenta de la fauna local y de animales domésticos.

Temperamento

Suelen ser de carácter plácido y toleran que las manipulen. Las crías pequeñas muerden a veces.

Habitáculo

Se necesita un terrario muy grande, de al menos 2 m × 1 m de superficie para una pitón adulta de tamaño medio. La altura no es tan importante, aunque el área superficial se consigue

incrementar añadiendo un estante en la parte superior del terrario. Hay varios sustratos apropiados, pero casi todo el mundo prefiere materiales fáciles de remplazar, como trocitos de corteza, virutas de madera o papel de periódico. Se instalará una caja de escondite, que a veces son verdaderas obras de arte y otras una simple caja de cartón, y también una rama o tronco gruesos para mejorar la apariencia del terrario, si bien no son esenciales. Siempre habrá un recipiente grande con agua limpia.

▼ *En la naturaleza lucen unas hermosas manchas en su librea y, en muchos casos, son más atractivas que los variados «morfos» que existen en el mercado.*

▲ *Librea «granítica» de la pitón de Birmania.*

Gastos		
G. instalación		
G. corrientes		

Tamaño: Potencialmente hasta 6 m, lo normal son 3-4 m, y su cuerpo es muy pesado.

Origen: Sureste asiático.

Vida: 20-25 años.

Condiciones ambientales

Una temperatura de 25-35 °C es adecuada, con un gradiente térmico entre la parte más cálida y más fresca del terrario. Esto se consigue con una lámpara de insolación en lo alto o con un calefactor bajo la jaula.

Atención

De cinco a veinte minutos al día.

Variedades

Hay tres subespecies, de las cuales la pitón de Birmania es una y la pitón de la India, *P. molurus molurus*, menos popular, es otra. Las mutaciones o morfos de la pitón de Birmania son muy buscadas. Entre ellas tenemos la pitón de Birmania «dorada» o albina, que presenta manchas amarillas o color naranja sobre un fondo blanco y es uno de los morfos más populares, así como las variantes leucística (blanca con los ojos negros), «verde» (aunque no es realmente de este color),

«granítica», en la que las manchas se diversifican creando una red de motas y líneas más pequeñas, junto con todas las combinaciones posibles: albina, granítica, albina verde, etc., así como variaciones más sutiles de color, como «caramelo», «mantecado» y otros sabores.

Cuidados

Comen cada una o dos semanas, y hay que cambiar el agua a diario y limpiar el terrario de vez en cuando.

Alimentación

Mamíferos, empezando por ratones y ratas jóvenes, para ir aumentando el tamaño hasta darles conejos grandes o incluso ovejas en el caso de adultos muy grandes. Hay que recordar esto si te planteas tener en casa una pitón de esta especie.

Reproducción

Se reproducen sin problemas; hay muchas en el mercado y muchas libreas obtenidas con cría selectiva.

Inconvenientes

Su tamaño.

▼ *La librea de las pitones doradas es una de las más populares.*

Python reticulatus

Pitón reticulada

PERFIL

Se suele considerar el ofidio más largo del mundo (la anaconda de América del Sur es más pesada pero más corta y corpulenta). Es originaria del sureste asiático, donde abarca un vasto territorio que se extiende a muchas islas, grandes y pequeñas, lo cual ha dado origen a cierto número de endemismos de tamaño y colorido; algunos tal vez terminen clasificados como especies independientes. Su librea más corriente presenta varias manchas por toda la espalda de color beige con los bordes negros, y luce áreas amarillas y canela a ambos lados. Los flancos son grises con manchas blancas a intervalos regulares. Sobre esta librea se superponen numerosas motas y manchas oscuras, con lo cual exhibe un patrón complicado y vistoso. La cabeza suele ser amarilla o dorada, y los ojos de color naranja.

Vive en selvas tropicales, cerca de ríos, donde se enrosca en ramas que penden sobre el agua. También es habitual en poblados y ciudades, donde se alimenta de ratas y animales domésticos como perros y gatos. Ha habido casos de ataques a seres humanos, pero son poco corrientes. Se camufla bien cuando descansa entre las hojas, en los árboles o en el suelo, y se mantiene inmóvil durante días hasta que siente la necesidad de cazar.

Temperamento

Extremadamente variado; algunas son muy agresivas y se resisten a la domesticación, otras son dóciles y nunca intentan morder.

Habitáculo

Se requieren terrarios grandes para las pitones adultas, de como mínimo 2 × 1,5 m, o mejor mayores. Los ejemplares adultos en cautividad pocas veces trepan (suelen ser demasiado voluminosos) y la altura del terrario no es importante. Lo mejor es un sustrato de virutas de madera, y debe contar con uno o dos escondrijos. Un estante a mitad de la pared aumentará la superficie disponible y la serpiente hará uso de esta zona de reposo por encima del suelo. Es importante que haya un recipiente de agua clara; algunos ejemplares tienen problemas para mudar la piel a menos que la humedezcan previamente.

▲ *En la naturaleza despliega un caleidoscopio de colores siguiendo un patrón geométrico.*

Gastos				
G. instalación				
G. corrientes				

Tamaño: Hasta casi 7 m.*

Origen: Sureste asiático.

Vida: 25 o más años.

*La mayoría sólo llega a la mitad de esa longitud. Las variedades insulares a veces son más grandes o más pequeñas que la media.

Condiciones ambientales

Una temperatura de entre 25 y 35 °C, para lo cual se situará una lámpara de insolación en un extremo del terrario.

Atención

De cinco a veinte minutos al día.

Variedades

Una vez más, la cría selectiva ha producido algunos «morfos» extraños y maravillosos, aunque, probablemente debido al espacio que necesita, esta especie no haya progresado hasta el mismo punto, por ejemplo, que la pitón real. Como sucede con otras especies, la pitón albina es la base de muchas variantes y hay otras que carecen del pigmento amarillo, etc., así como las hay listadas y lisas. Todas estas variantes se han cruzado con albinas y otras para obtener todo un abanico de morfos. Si a esto le sumamos la diversidad natural que se ha originado en las numerosas islas en las que se localiza esta

▲ ▼ *La variante «lavanda» carece de pigmentación oscura, y en ella destacan los tonos amarillos, y las áreas negras adquieren un tono rosa morado. Es un «morfo» popular y atractivo.*

especie, las posibles permutaciones son casi interminables.

Alimentación

Mamíferos, empezando por ratones y ratas para las pitones pequeñas, para ir aumentando el tamaño hasta conejos y, por último, animales de granja para los adultos.

Cuidados

Comen cada una o dos semanas.

Reproducción

Se reproducen con facilidad, si bien el espacio suele ser una limitación.

Inconvenientes

El tamaño y los animales que constituyen su alimentación, que a menudo son difíciles de obtener.

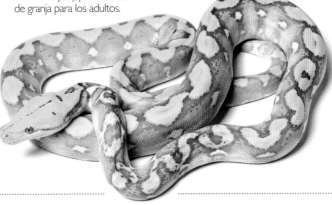

Python regius

Pitón real

PERFIL

Pitón corta y muy corpulenta del África occidental, conocida también como pitón bola. En la naturaleza, su librea es de un marrón muy oscuro, casi negro, con luceros y tiras de color canela o marrón amarillento. La porción superior de la cabeza suele ser oscura con una línea clara que atraviesa los ojos. Su estrategia defensiva es enroscarse y proteger la cabeza en el centro de la bola así formada.

Temperamento

Son muy tranquilas, un poco tímidas, y se dejan tocar.

Pocas veces muerden.

Habitáculo

Un terrario de unos 100 × 50 cm es adecuado para una pitón real adulta; no trepan, y por eso la altura no es importante. Contará con un sustrato de virutas de madera o corteza para reptiles, y con una caja de escondite. Por lo demás, los adornos serán al gusto del dueño

Condiciones ambientales

Una temperatura de 25-35 °C, concentrando el calor en un extremo del terrario para crear un gradiente térmico y que la serpiente elija la temperatura. No se necesita iluminación.

Atención

De cinco a quince minutos diarios.

Variedades

Como sucede con otras especies de serpientes y lagartos, los «morfos» de la pitón real se han convertido en un negocio importante. En el momento en que escribo este libro, un sitio web recoge 1.323 morfos diferentes, y dar nombre a estas variantes se ha vuelto un arte cada vez más creativo, quizá desproporcionado.

Gastos*				
G. instalación				
G. corrientes				

*Algunos de los ejemplares más deseados «de raza» pueden llegar a costar más de mil euros.

Tamaño: 1-1,8 m.

Origen: África occidental.

Vida: 20-25 años.

Cuidados

Comen cada una o dos semanas, el agua se cambiará a diario y a veces se limpiará el terrario.

◄ *Librea de esta pitón en la naturaleza.*

Alimentación

Mamíferos de pequeño tamaño, como ratones y ratas. Las salvajes son muy difíciles de manejar para que coman y pueden pasar más de un año sin comer. La alimentación resulta mucho más sencilla con ejemplares criados en cautividad.

Reproducción

Es muy fácil, como demuestra el gran número de ejemplares jóvenes a la venta criados en cautividad.

Inconvenientes

Ninguno, si se compran ejemplares jóvenes criados en cautividad.

Xenopeltis unicolor

Serpiente iridiscente asiática

PERFIL

Es una serpiente muy poco corriente y originaria del Asia tropical. Su librea es marrón oscura o negra por arriba y blanca por debajo. La cabeza tiene forma de pala y está aplastada. Sus escamas son grandes, lisas y muy iridiscentes. Los ojos son pequeños. Estas características son adaptaciones a su vida subterránea: excava galerías y pasa casi toda la vida bajo el suelo en madrigueras, y debajo de objetos como rocas, troncos y materia vegetal. Habita en los arrozales y en los alrededores de las poblaciones, si dispone de abundante comida.

Temperamento
Nunca muerden, pero pueden rociarte con una sustancia pestilente expelida de su glándula cloacal.

Habitáculo
Un terrario grande de unos 100 × 45 cm de superficie es adecuado para uno o dos ejemplares. La altura no es importante y se pueden tener en bandejas de plástico si se desea. El sustrato es importante y consistirá en al menos 10 cm de pulpa de madera húmeda, esfagno picado o fibra de coco. El calor procederá del suelo, aunque sólo en un extremo del terrario y mediante una unidad eléctrica. Habrá un recipiente pequeño con agua en el extremo más fresco del terrario. No se necesita más equipamiento.

▼ *Es una especie asiática poco corriente, que no suele estar a la venta y de complicado mantenimiento en cautividad.*

Gastos			
G. instalación			
G. corrientes			

Tamaño: Hasta 120 cm, aunque suelen ser más pequeñas.
Origen: Sureste asiático.
Vida: Dato desconocido.

Condiciones ambientales
Calor y humedad: 23-30 °C y una humedad del 80-100 %, si bien el sustrato no debe estar mojado.

Atención
De cinco a diez minutos al día.

Variedades
Ninguna.

Cuidados
Comen una vez por semana y hay que mantener las condiciones correctas en el terrario.

Alimentación
Roedores de pequeño tamaño, como ratones y ratas jóvenes.

Reproducción
Pocas veces se reproducen en cautividad.

Inconvenientes
Sólo se venden ejemplares capturados en la naturaleza, que suelen estar parasitados y tener infecciones cutáneas. No acostumbran a dejarse ver.

Acrantophis dumerili

Boa constrictora de Dumeril

PERFIL

Es una especie de tamaño medio y originaria de Madagascar. Rechoncha, con una librea intrincada de sombras de color amarillo pálido o marrón, a menudo con un tono rosado, sobre todo cuando son jóvenes. Vive en los bosques caducifolios y secos de Madagascar occidental, donde se camufla bien entre las hojas muertas.

Temperamento
De movimientos lentos, hábitos nocturnos y de buen temple en cautividad, es fácil de manipular; sólo alguna vez intenta morder.

Habitáculo
Un terrario de al menos 1,5 × 1 m de superficie es adecuado para un ejemplar adulto. La altura no es importante porque no trepan. Las boas jóvenes se pueden tener en terrarios más pequeños. El sustrato consiste en virutas de madera, una o dos cajas de escondite y un recipiente grande con agua.

Condiciones ambientales
Se creará un gradiente térmico de 25-35 °C con una unidad eléctrica o una lámpara de insolación, a distancia prudencial para evitar que la serpiente sufra quemaduras. La humedad tiene que ser baja.

Atención
De diez a veinte minutos al día.

Variedades
No hay variedades, pero sí una especie afín, la boa terrestre de

▼ *Las boas de Dumeril lucen una atractiva librea con tonalidades marrones. Las serpientes jóvenes suelen mostrar un tono naranja o rosado, pero que se diluye a medida que maduran.*

Madagascar, *A. madagascariensis*, que en ocasiones se encuentra en las tiendas de mascotas. Es más grande, pero por lo demás sus cuidados son similares a los de la boa constrictora de Dumeril.

Cuidados
Comen cada una a dos semanas, y hay que rellenar el recipiente con agua y limpiar el terrario cuando sea necesario. Responden bien a una manipulación habitual.

Alimentación
Mamíferos de pequeño tamaño, como ratones y ratas.

Reproducción
Se suelen reproducir sin problemas y hay ejemplares jóvenes a la venta criados en cautividad.

Gastos			
G. instalación			
G. corrientes			

Tamaño: Hasta 2 m; pesa mucho.

Origen: Madagascar.

Vida: 25-40 años.

Inconvenientes
Especie en el Apéndice I de la lista de la CITES (Convención sobre el Comercio Internacional de Especies Amenazadas de Fauna y Flora Silvestres), por lo que no se puede comerciar con ella en el mercado internacional. Las criadas en cautividad deben llevar microchip y estar registradas, y el dueño contará con un certificado. Hay que comprobar que tenga microchip antes de comprarla.

Corallus caninus

Boa esmeralda

PERFIL

Esta boa esmeralda de América del Sur guarda un parecido notable con la pitón arborícola verde originaria de Australasia, que es verde con manchas blancas a lo largo de la espalda. También se enrosca de forma parecida alrededor de ramas horizontales. Las jóvenes son de color naranja o rojo ladrillo. Sus fosetas termosensibles se hallan entre las escamas que rodean la boca, mientras que las de la pitón arborícola verde están en el centro de las escamas. Vive en las selvas tropicales de la cuenca del Amazonas y regiones limítrofes, y pare crías vivas.

Temperamento

Variable pero suele tener mal genio. Los dientes son largos y curvos, por lo que su mordisco es doloroso.

Habitáculo

Un terrario alto que mida al menos 75 × 75 × 150 cm de altura es un tamaño adecuado para una boa adulta. Habrá varias ramas horizontales o varillas fijas a distintas alturas. Se necesita una lámpara de insolación y el sustrato será de virutas de madera, toallas de papel, corteza de orquídeas o musgo. Tiene que haber un recipiente grande con agua.

Condiciones ambientales

Las mismas que las de la pitón arborícola verde (página 161). Una temperatura ambiente de 25-30 °C y la posibilidad de sestear son ideales. La temperatura

bajo la lámpara de insolación será 35 °C durante el día. La humedad será baja, aunque habrá que pulverizar la boa exhaustivamente con agua todos los días cuando esté a punto de mudar la piel.

Gastos				
G. instalación				
G. corrientes				

Tamaño: Hasta 1,8 m.	
Origen: Suramérica tropical.	
Vida: Al menos 25 años.	

◄ *Se parecen mucho a las pitones arborícolas verdes y tienen necesidades similares en cautividad, aunque son ovovivíparas.*

Atención

De diez a veinte minutos al día.

Variedades

Existen endemismos, aunque muchas boas en cautividad carecen de información sobre su origen. Las de la cuenca del Amazonas suelen lucir una línea blanca en la espalda y tienen el vientre amarillo, mientras que las de la Guayana y Surinam, por ejemplo, exhiben rayas blancas cortas separadas unas de otras. Otras carecen de estas rayas blancas y son completamente verdes.

Cuidados

Comen una vez cada dos semanas.

Alimentación

Mamíferos de pequeño tamaño.

Reproducción

Difícil.

Inconvenientes

Tienden a morder y no siempre resulta fácil que coman.

Boa constrictora

Es probable que la boa constrictora sea la serpiente más conocida del mundo. Se extiende por gran parte de las áreas tropical y subtropical de América, y hay varias libreas distintas. Algunas son subespecies reconocidas, mientras que otras son variables peculiares de ciertas poblaciones. El patrón básico de la librea es un fondo de color canela o amarillo pálido, sobre el cual se aprecia una red de rayas entrecruzadas. Estas rayas se vuelven más anchas en los flancos, de modo que tienen aspecto de un reloj de arena. El número y espaciado de las rayas entrecruzadas varían, como también el color. Todas sus libreas se vuelven más oscuras y aproximadas hacia la cola, y algunas de las más atractivas constituyen la boa «de cola roja», aunque boas de cola roja o rojiza se hallarán en distintas áreas. Las boas constrictoras en cautividad suelen tener una mezcla de orígenes y no se pueden asignar a una variedad u otra.

La boa constrictora es una especie adaptable asociada con las selvas tropicales, zonas de arbustos e incluso hábitats semidesérticos. En la naturaleza se encuentra desde el norte de México hasta Argentina, así como en varias islas del Caribe. A menudo vive cerca de ríos, donde le cuesta menos encontrar comida, y trepa bien. Incluso las boas grandes suelen reposar en ramas altas por encima del suelo. También nada bien.

Temperamento

Suelen portarse bien, aunque algunas tienen mal genio y tienden a morder. Las boas jóvenes criadas en cautividad casi siempre se acostumbran con rapidez, mientras que las grandes se tienen que manipular con cuidado.

Habitáculo

Un terrario grande de al menos 1,5 × 1 × 1 m es el tamaño mínimo para una boa adulta. La mayoría crecen hasta medir entre 2 y 3 m, y algunas llegan a los 4 m, pero ¡nunca miden tanto como las míticas boas constrictoras de las historias de los exploradores! Las boas jóvenes se pueden mantener en terrarios de dimensiones más modestas, pero ¡todas acaban creciendo! El terrario tendrá un sustrato de virutas de madera y una o dos cajas de escondite. A algunas boas les gusta trepar, mientras que otras casi nunca lo hacen, por lo que es una buena idea introducir algunas ramas robustas al principio y quitarlas si no las usan. Asegúrate de que las ramas estén bien ancladas para que no cedan con el peso. Tiene que haber una bandeja grande con agua, lo bastante como para que la serpiente se sumerja por completo.

▲ Librea atractiva de una boa constrictora, a menudo llamada boa de cola roja, y parecida a la de las boas selváticas de América del Sur. Las boas jóvenes suelen mostrar un colorido más brillante que las adultas.

Condiciones ambientales

Se creará un gradiente térmico de 25-35 °C, para lo cual se usará una unidad eléctrica bajo la jaula o una lámpara de insolación, que estará a distancia prudencial para evitar que la serpiente sufra quemaduras.

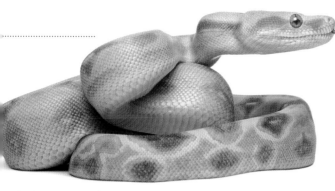

Gastos				
G. instalación				
G. corrientes				

Tamaño: 1-4 m, según su localización geográfica.

Origen: América Central y América del Sur.

Vida: 30 años o más.

Las boas encontrarán el lugar más cálido después de comer, para ayudar a la digestión, pero también deben poder alejarse del calor. Aunque sean serpientes de selva tropical, la humedad debe ser baja.

Atención

De diez a veinte minutos al día.

Variedades

Se han identificado siete subespecies de boa constrictora y otras cuatro o cinco son aceptadas sólo por algunos expertos. Algunas de ellas son la boa de cola roja, *B. c. constrictor*, la más diferenciada, aunque no todas las boas con la cola roja pertenezcan a esta subespecie; la boa constrictora mexicana, *B. c. imperator*, que incluye variedades insulares enanas como la boa de la isla Hog (Guyana), o la boa de las vizcacheras o ampalagua, *B. c. occidentalis*, una subespecie cuya piel está cubierta por una red de finas manchas negras. Las otras son menos corrientes en cautividad. Se superponen a estas subespecies diversos morfos cromáticos, sobre todo las albinas, sin pigmentación negra o roja, y diversas permutaciones.

▲ *Ejemplar joven de boa albina. Toda la pigmentación oscura ha desaparecido de la piel.*

Cuidados

Darles de comer cada una o dos semanas, remplazar el agua a diario y limpiar la jaula cuando sea necesario.

Alimentación

Mamíferos de tamaño pequeño y grande: ratones, ratas y conejos, según del tamaño de la boa.

Reproducción

Se reproducen bien en cautividad.

Inconvenientes

Su tamaño potencial es un aspecto importante al comprar un ejemplar joven. Por lo demás, no hay inconvenientes.

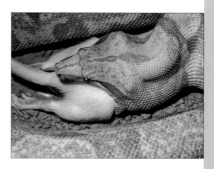

▲ *Boa constrictora comiendo; engullen presas de tamaño considerable.*

▼ *Ejemplar de librea «salmón», una variante de coloración sutil.*

Epicrates cenchria

Boa arcoíris

PERFIL

La boa arcoíris se extiende por una amplia área de América del Sur y se han identificado varias subespecies. La boa arcoíris brasileña, *E. cenchria cenchria*, es la de colorido más vistoso, pero todas las libreas gozan de estimación. Por lo general es de color marrón o naranja, con una serie de círculos más claros y borde más oscuro que recorren la espalda. También luce en los flancos una fila de círculos oscuros de borde más claro. Las variaciones de librea se extienden a la brillantez de la coloración y al contraste que crean las manchas. Son serpientes de selva tropical, por lo general terrestres, aunque a veces trepen por la vegetación rastrera.

boa adulta. El sustrato será de virutas de madera, y tiene que haber un recipiente con agua lo bastante grande como para que la serpiente se sumerja por completo.

Condiciones ambientales

Se dotará el terrario de un gradiente térmico de 25-35 °C. Normalmente la humedad será baja, aunque a veces tienen problemas para mudar de piel, en cuyo caso se pulverizarán con agua y se habilitará temporalmente una caja de escondite llena de musgo.

Atención

De diez a veinte minutos al día.

Variedades

Se suelen reconocer nueve subespecies, aunque varias han adquirido recientemente el estatus de especies. Las

Gastos				
G. instalación				
G. corrientes				

Tamaño: 1,5-2 m, según la subespecie.

Origen: América Central y América del Sur.

Vida: 25-40 años.

más fáciles de distinguir son la boa arcoíris argentina, *E. alvarezi*, y la boa arcoíris de Colombia, *E. maurus*.

Cuidados

Comen cada una o dos semanas, y se cambiará el agua a diario y se limpiará la jaula de vez en cuando.

Alimentación

Mamíferos pequeños como ratones y ratas.

Reproducción

Se reproducen con facilidad y son ovovivíparas.

Inconvenientes

Aparte de su mal genio ocasional según el ejemplar, no presentan inconvenientes de verdad

▶ *La boa arcoíris brasileña es la que luce una librea más vistosa.*

Temperamento

Normalmente son muy tranquilas, aunque algunas son nerviosas y a veces muerden.

Habitáculo

Un terrario de 100 × 50 × 50 cm es el tamaño adecuado para una

▶ *La boa arcoíris argentina se ha reclasificado hace poco como una especie independiente, E. alvarezi.*

Lichanura trivirgata

Boa rosada

PERFIL

Especie excavadora de pequeño tamaño y originaria del suroeste de América del Norte, presenta una librea crema o gris, con tres franjas longitudinales de color marrón, naranja o marrón oscuro, las cuales pueden ser desiguales o crespas, según la subespecie y la variación individual. Sus escamas son pequeñas y brillantes, y su textura sedosa. Vive en afloramientos rocosos, donde se oculta en grietas y rendijas, de donde sale al atardecer o por la noche en busca de comida.

Temperamento
Son muy tranquilas y de lentos movimientos; se dejan manipular.

Habitáculo
Un terrario con una superficie de 60 × 30 cm es adecuado para una boa adulta. La altura no es importante porque no suelen trepar. Se aportará un sustrato de virutas de madera, de al menos 5 cm de profundidad, y también una caja de escondite, que será pequeña, porque a esta especie le gusta embutirse en sitios reducidos. Es necesario un recipiente con agua.

Condiciones ambientales
Se dispondrá un gradiente térmico de 20-30 °C con un calefactor bajo la jaula y situado en un extremo. La humedad será siempre reducida y no se precisa iluminación. Si fuera necesario, la temperatura podrá descender hasta 15 °C en invierno, sobre todo si la boa deja de comer, como a veces sucede.

▲ *La boa rosada del desierto,* Lichanura trivirgata gracia, *es una de las variedades del suroeste de Estados Unidos.*

Gastos			
G. instalación			
G. corrientes			

Tamaño: 50-100 cm, según, en cierto grado, las subespecies.

Origen: Suroeste de Estados Unidos y noroeste de México.

Vida: 20-30 años, posiblemente más.

Atención
De cinco a diez minutos por día.

Variedades
Varias subespecies cuyo estatus es incierto. Hay también variedades albinas y similares.

Cuidados
Darles de comer cada una o dos semanas, cambiar el agua a diario y limpiar la jaula cuando sea necesario.

Alimentación
Ratones.

▲ *La boa rosada de la Baja California,* L. t. saslowi, *es probablemente una de las subespecies más deseadas.*

Reproducción
Suelen necesitar un período de hibernación en invierno para que se reproduzcan.

Inconvenientes
Hay pocos ejemplares jóvenes a la venta criados en cautividad.

Eryx colubrinus loveridgei

Boa de las arenas

PERFIL

Es un ofidio que excava galerías y vive en hábitats secos, sobre todo desérticos. Esta especie es originaria de África oriental, y la subespecie keniana *loveridgei* es la de colorido más vistoso y una de las que se mantienen en cautividad con más frecuencia. Su librea es amarilla, parda o naranja, con grandes manchas de color chocolate. Su cuerpo es cilíndrico y sus escamas son lisas y brillantes, características de las especies excavadoras. Pasan la mayor parte de su vida bajo tierra o debajo de piedras y troncos.

Temperamento

Se dejan manipular sin problemas y pocas veces intentan morder.

Habitáculo

Un terrario con una superficie de 60 × 30 cm es adecuado para una boa adulta. La altura no es importante. Se aportarán al menos 5 cm de profundidad de un sustrato suelto como arena o virutas de madera. Es necesario un recipiente con agua, pero nada más.

▼ *La coloración naranja revela que ésta es la subespecie keniana de la boa de las arenas, E. c. loveridgei.*

Condiciones ambientales

Es adecuado que haya un gradiente térmico de 23-30 °C, y que el calor se aplique en un extremo con una unidad eléctrica bajo la jaula. La humedad será reducida y necesita iluminación.

Atención

De cinco a diez minutos al día.

Variedades

Alguna variación natural en el color; variantes albinas y una aneritrística (que carece de pigmentación roja).

Gastos			
G. instalación			
G. corrientes			

Tamaño: 15-25 cm; las hembras son mucho más grandes.

Origen: África oriental.

Vida: Hasta 25 años o más.

Cuidados

Darles de comer una vez por semana y cambiar el agua según lo necesite. El sustrato se limpiará por partes, aunque habrá que cambiarlo todo de vez en cuando.

Alimentación

Mamíferos de pequeño tamaño, como ratones. Muestran inclinación a rechazar el alimento durante varias semanas o meses seguidos, por lo general porque se las ha sobrealimentado con anterioridad. El ayuno no suele ser motivo de alarma.

Reproducción

Se suelen reproducir con facilidad. Las hembras paren de seis a quince crías vivas que suelen comenzar a comer sin problemas.

Inconvenientes

No se dejan ver tanto como otros animales, porque pocas veces afloran a la superficie; este dato es más importante para algunas personas que para otras.

Dasypeltis scabra

Serpiente devoradora de huevos

PERFIL

Ésta es una de las serpientes más inusuales. Su librea es gris, marrón o marrón rojiza, con un cuerpo largo y esbelto, y el hocico redondeado. Presenta una fila de manchas en la espalda, y sus escamas, ásperas al tacto, están muy aquilladas. Vive en África meridional y se alimenta exclusivamente de huevos de pájaros; no comerá ningún otro alimento.

Temperamento
Suelen ser dóciles, aunque, si se alarman, tal vez se enrosquen formando una herradura y emitan un sonido sibilante al frotar entre sí sus escamas aquilladas, con lo cual imitan a la víbora venenosa de escamas serradas. A veces muerden, pero es sólo una acción disuasoria, porque carecen de dientes funcionales.

Habitáculo
Un terrario que mida 60 × 30 × 30 cm es adecuado para una boa adulta. Son sobre todo terrestres, pero también pueden trepar, por lo que se usará un terrario más alto si se dispone de él, aunque no es esencial. Necesitan un sustrato de virutas de madera, una caja de escondite y un recipiente con agua lo bastante grande como para que se puedan mojar.

Condiciones ambientales
Una temperatura de 18-25 °C con un gradiente térmico creado mediante un calefactor bajo la jaula, pero sólo en un extremo del terrario. La humedad será reducida y no es necesaria iluminación.

Atención
De cinco a diez minutos al día.

▼ *La serpiente devoradora de huevos común o rómbica presenta escamas muy aquilladas que le dan una apariencia y tacto rugosos.*

Gastos			
G. instalación			
G. corrientes			

Tamaño: 50-80 cm, muy esbelta.

Origen: África meridional.

Vida: Dato desconocido, tal vez 15 años o más.

Variedades
Varían un poco en el color y hay otras especies de devoradoras de huevos, aunque ésta es la más corriente. A veces se llama devoradora de huevos rómbica.

Cuidados
Hay que darles de comer, cambiar el agua del recipiente y limpiar el terrario de vez en cuando.

Alimentación
Huevos de pájaro. Las adultas comen huevos pequeños de gallina; las adultas pequeñas, huevos de codorniz. Los ejemplares juveniles sólo toman huevos de pinzón. Se les puede obligar a comer huevos batidos mediante una cánula y una jeringa, pero no es una solución muy satisfactoria.

Reproducción
Se reproducen con facilidad, aunque criar ejemplares jóvenes es un problema, por su alimentación.

Inconvenientes
Suele ser difícil encontrar huevos adecuados para ellas.

179

Euprepriophis mandarinus

Serpiente ratonera mandarina

De pequeño tamaño y con una librea inusual, suele ser gris con una serie de puntos de color negro intenso a lo largo de la espalda. Estos puntos tienen el centro de color amarillo y la cabeza está adornada de forma similar con colores negro y amarillo. Algunas tienen un tono rojo o rosado sobre el color de fondo. Vive en bosques de montaña y zonas de matorral espeso, y también en campos y entre rocas. Probablemente pase gran parte de su vida bajo tierra, en huras de roedores.

Temperamento

Dóciles, casi nunca intentan morder.

Habitáculo

Un terrario de 60 × 45 cm para un ejemplar adulto, con un sustrato profundo de virutas de madera, un recipiente grande con agua para que se refresque y una o dos cajas de escondite; una puede estar rellena de musgo húmedo, pues es mejor si la humedad no es muy elevada.

Condiciones ambientales

No se deben someter a un calor excesivo. La temperatura ambiente suele ser suficiente, como máximo 20-25 °C, e incluso menos.

Atención

De cinco a diez minutos al día.

Variedades

Existe variación, pero se desconoce si está relacionada con su lugar de origen.

Cuidados

Darles de comer una vez por semana. Los ejemplares capturados en la naturaleza son difíciles de alimentar, y por eso es mejor no adquirirlas. Las serpientes jóvenes criadas en cautividad suelen comer

Gastos			
G. instalación			
G. corrientes			

Tamaño: 1-1,2 m; a menudo más pequeñas y pocas veces mayores.

Origen: China meridional y países limítrofes.

Vida: Incierta, quizá 10-15 años.

▲▼ *Esta especie es una de las ratoneras más fáciles de distinguir.*

sin problemas y crecen bien. La comida se dejará al principio dentro de una caja de escondite, ya que prefieren comer en espacios confinados. Habrá que cambiar el agua y limpiar la jaula.

Alimentación

Ratones pequeños. Incluso las serpientes adultas son reacias a comer ratones cuyo tamaño supere el diámetro de su propio cuerpo.

Reproducción

No resulta difícil, pero requieren ciertos conocimientos especializados.

Inconvenientes

A veces es delicada. Es mejor dejarla a los herpetólogos experimentados.

Gonyosoma oxycephalum

Serpiente ratonera verde de cola roja

PERFIL

Se trata de una serpiente ratonera espectacular y de gran tamaño, originaria de Asia. Ocupa un amplio territorio del sureste asiático, que incluye Borneo y muchas otras islas, y ofrece muchas variedades, aunque la mayoría de los especímenes son de un brillante color verde con la cola naranja, roja o gris. Es esbelta, con la cabeza estrecha y apuntada, y sus escamas son lisas y brillantes. Sus costumbres son muy arbóreas y a menudo se enrosca en ramas con muchas hojas que penden sobre el agua. Si se enfada, achata el cuello y puede morder con gran rapidez.

Temperamento
Nerviosas y con tendencia a morder, son difíciles de manipular.

Habitáculo
Necesitan un terrario grande de 1 × 1 × 1 m como mínimo. Esta serpiente arborícola necesita trepar, y por ello la jaula contendrá ramas para que se encarame. El sustrato será de virutas de madera y es esencial que haya un recipiente grande con agua.

Condiciones ambientales
Durante el día necesitan una temperatura entre 25 y 28 °C, que se logra con una lámpara de insolación que penda arriba. Durante la noche puede ser un poco más baja. Necesitan humedad elevada, y el terrario se pulverizará a diario con agua, aunque debe estar bien ventilado.

Atención
De diez a veinte minutos al día.

Variedades
Hay muchas variedades regionales; algunas son amarillas y otras grises azuladas. De forma similar, la cola tal vez sea gris o amarilla. Las importadas no suelen llegar con información fiable sobre su origen.

Cuidados
Hay que pulverizar a diario, mejor las hojas de las plantas vivas o artificiales, de modo que la serpiente lama el agua en ellas. El recipiente estará siempre lleno de agua limpia. Hay que darles de comer una vez a la semana, y se limpiará el terrario según sea necesario.

Alimentación
Ratones, aunque algunas serpientes aparentemente sólo comen pájaros. Ofrecerle comida con unas pinzas largas a menudo es mejor que dejarla en el terrario.

Reproducción
Es posible, pero no fácil.

Gastos			
G. instalación			
G. corrientes			

Tamaño: 1,6-2 m.

Origen: Sureste asiático.

Vida: Dato desconocido, probablemente 10-15 años.

▲ *De costumbres muy arbóreas, se deben mantener en terrarios elevados y espaciosos. Son diurnas, siempre están alerta y suelen dejarse ver.*

Inconvenientes
Pocas veces hay a la venta serpientes jóvenes criadas en cautividad, y las capturadas en la naturaleza suelen tener parásitos, no se dejan alimentar y tal vez muestren una conducta agresiva.

▼ *Este ejemplar de brillante color verde usa su lengua azul para explorar su entorno.*

Heterodon nasicus

Serpiente hocico de cerdo occidental

PERFIL

Pequeña y fácil de identificar por su cuerpo rechoncho, cola corta, cabeza ancha y hocico vuelto hacia arriba, su librea es marrón, gris, verdosa o rojiza, con manchas oscuras sobre un fondo más claro. Sus escamas están muy aquilladas. Vive en regiones semidesérticas, herbazales, tierras de labrantío, si bien prefiere áreas en las que pueda usar el hocico para excavar y sacar sapos enterrados, su principal alimento en la naturaleza.

Temperamento
Suelen ser tranquilas y se adaptan fácilmente a vivir en cautividad. A veces se hinchan, silban y amagan un ataque cuando se las alarma, aunque rara vez muerden.

Habitáculo
Un terrario con una superficie de 60 × 45 cm es adecuado para una serpiente adulta. La altura no es importante porque no trepan. Necesitan un sustrato de virutas de madera bastante hondo para enterrarse en él, una o dos cajas de escondite y un recipiente con agua bastante grande para que se puedan refrescar.

Condiciones ambientales
Una temperatura de 18-25 °C, aunque también puede ser más baja. Lo mejor es conseguir un gradiente térmico, con calefacción debajo de la jaula y sólo en un extremo, pues a veces hibernan en invierno. La humedad será reducida y tampoco se necesita iluminación.

Atención
De cinco a diez minutos al día.

Variedades
Hay tres subespecies, la de Minnesota, *H. n. nasicus;* la del sureste de Misuri, *H. n. gloydi,* y la mexicana, *H. n. kennerlyi.* Hay además otras especies, pero no comen ratones. La variante albina también se cría de forma selectiva.

Cuidados
Comen una vez por semana, hay que cambiar el agua del recipiente a diario y se limpiará el terrario cuando sea necesario.

Alimentación
Ratones. Los ejemplares criados en cautividad casi siempre aceptan los ratones y algunas los prefieren ligeramente «en alto». Consiguen engullir presas bastante grandes y a veces se las tragan de perfil.

Reproducción
Se reproducen con mucha facilidad y suelen haber ejemplares jóvenes criados en cautividad en las tiendas.

Inconvenientes
Ninguno, aunque no es buena idea que te mordisqueen los dedos, ya que su saliva es un poco tóxica. Es mejor que estén lejos de los niños.

Gastos			
G. instalación			
G. corrientes			

Tamaño: 40-60 cm, hasta 90 cm.

Origen: América del Norte.

Vida: 15-20 años.

▲ *Estas serpientes tienen el cuerpo rechoncho y su librea es de tonos llamativos, si bien la coloración varía.*

Lampropeltis alterna

Culebra real de bandas grises

PERFIL

Es una serpiente de librea muy variable, con dos colores predominantes: la «fase Blair» es gris claro u oscuro con franjas anchas naranjas o rojas bordeadas de negro, mientras que la «fase alterna» es gris con bandas estrechas y oscuras. A veces estas bandas estrechas contienen tonos naranjas en el centro o lucen un borde estrecho de escamas blancas. Existen varias formas intermedias, pero todas pertenecen a la misma especie. Su cabeza es achatada y los ojos son un poco saltones. Vive en hábitats áridos, a menudo entre rocas, es reservada y sus hábitos son nocturnos.

Temperamento
De temperamento plácido; pocas veces intentan morder y se manipulan con facilidad.

Habitáculo
Un terrario con una superficie de 75 × 45 cm es adecuado para una serpiente adulta. Necesitan un sustrato profundo de virutas de madera, y es muy importante ubicar una o dos cajas de escondite, porque prefieren descansar en espacios confinados. Un recipiente con agua es esencial, mientras que el resto de los complementos para el terrario son opcionales.

Condiciones ambientales
Una temperatura de 18-25 °C y un gradiente térmico, con calefacción debajo de la jaula y sólo en un extremo. La humedad será baja y no necesita iluminación.

Atención
De cinco a diez minutos al día.

Variedades
Varias libreas de colores, como se han descrito arriba. Algunas son más exóticas que otras, pero la de bandas naranjas probablemente sea la más habitual y popular.

Cuidados
Hay que darles de comer una vez a la semana, se cambiará el agua a diario y se limpiará el terrario según sea necesario.

Gastos			
G. instalación			
G. corrientes			

Tamaño: 50-90 cm.
Origen: Sur de Texas y áreas limítrofes de México.
Vida: 15-25 años.

Alimentación
Ratones. Algunos ejemplares no son buenos comedores, si bien las serpientes criadas en cautividad no dan problemas una vez que empiezan a comer.

Reproducción
Bastante.

«Fase Blair» de la culebra real de bandas grises.

Inconvenientes
Alimentar a las crías, como se ha comentado anteriormente, y conseguir ejemplares buenos: parece que han perdido popularidad en los últimos años y que hay menos criadores, y por eso tal vez cueste encontrar en venta.

183

Serpiente real común

PERFIL

La serpiente real común se divide en numerosas subespecies, muchas de las cuales son objeto de discusión entre los expertos. La serpiente rey de California, *Lampropeltis getula californiae*, se ha elevado a la categoría de especie diferenciada: *Lampropeltis californiae*, y ésta comprende por lo menos dos de las subespecies anteriores. Es decir, la situación es compleja. Sin importar el nombre que les demos, las serpientes reales son básicamente de color negro o marrón oscuro con una panoplia de distintas manchas de color blanco, crema o amarillo. La conducta y los

▲ *Librea marrón y crema de la variedad costera de la culebra real de California.*
▼ *Variedad blanca y negra del desierto.*

cuidados en cautividad de estas variedades son similares. Su cuerpo es cilíndrico transversalmente, y las escamas son lisas y brillantes. La cabeza es estrecha y de la misma anchura que el cuello. Su distribución geográfica va de costa a costa de América del Norte y de los estados norteños hasta el sur en México, por lo cual viven en hábitats muy distintos, como desiertos, montañas, praderas y ciénagas. Su dieta también es muy adaptable y comen otras serpientes, lagartos, roedores, huevos de tortuga y pájaros. En ciertos hábitats comen serpientes venenosas como las de cascabel, a cuyo veneno son supuestamente inmunes. Es una poderosa constrictora y a menudo come en lugares confinados, aplastando la presa contra una superficie dura, como las paredes de una madriguera.

Temperamento

La gran mayoría de las culebras reales comunes son dóciles y se manipulan con facilidad. Sin embargo, poseen un poderoso reflejo de ingestión y, si creen que hay comida por medio, pueden morder la mano por error. Si se agarran con fuerza, a veces resulta difícil abrirles la boca.

Habitáculo

Un terrario de 100 × 50 cm es adecuado para un ejemplar adulto. La altura no es tan importante porque no son escaladoras. Se sabe que se devoran unas a otras, y por eso no pueden compartir el mismo terrario, sobre todo después de haber comido. El sustrato puede ser de virutas de madera, y contará con una caja de escondite y un recipiente con agua limpia. El resto de los complementos para el terrario son opcionales.

◄ Serpiente rey mexicana,
Lampropeltis getula
nigrita.

Gastos			
G. instalación			
G. corrientes			

Tamaño: 90-120 cm.

Origen: América del Norte.

Vida: 15-25 años.

▼ Serpiente real
aberrante de una
subespecie indeterminada.

Condiciones ambientales

Un gradiente térmico de 20-28 °C generado con calefacción puntual bajo la jaula y sólo en un extremo. La iluminación es innecesaria y la humedad será mínima, incluso para especies de hábitats húmedos.

Atención

De cinco a diez minutos al día; y períodos más largos para limpiar el terrario. Se les puede dejar hibernar en invierno, en cuyo caso no necesitan comer y el tiempo invertido en ellas es mínimo.

Variedades

El patrón de la librea varía según los endemismos y tal vez consista en bandas anchas (serpiente rey de California); manchas irregulares (serpiente real del desierto y otras), o motas (serpiente real moteada y otras). También hay variantes intermedias y en el pasado se nombraron muchas subespecies diferentes. Muchas se consideran ahora grados intermedios entre formas limítrofes. Las serpientes rey de California, probablemente las más populares, son negras con bandas de color blanco tiza (variante del desierto), o marrones con bandas amarillas o blancas (variante costera). También hay ejemplares listados de la variedad blanca y negra, donde las manchas blancas adoptan la forma de una franja ancha que recorre el centro de la espalda. Asimismo hay multitud de «morfos» creados selectivamente basándose en albinos de diversos tipos: «lavanda», «ojos de rubí», «ventisca», etc.

Cuidados

Comen una vez por semana, y hay que cambiar el agua y limpiar.

Alimentación

Ratones. Recordemos que muestran tendencias caníbales.

Reproducción

Mucha. Los ejemplares jóvenes de la mayoría de las serpientes rey de California, y la mayoría de las otras variedades, comienzan a comer sin problemas.

Inconvenientes

Ninguno, pero no hay que ceder a la tentación de conservar más de una en la misma jaula.

Lampropeltis triangulum

Serpiente lechera o de leche

Es una especie de amplia distribución geográfica y con numerosas subespecies: hasta 25 identificadas. La serpiente de leche oriental, *L. triangulum triangulum*, es gris o marrón, con una serie de grandes manchas marrones por la espalda. Todas las otras subespecies son de color rojo, blanco y negro, con bandas de distintas anchuras. En muchas variedades las bandas rojas son anchas, y las tríadas de negro-blanco-negro, estrechas. El número y la distancia de las tríadas son variables, incluso en una misma subespecie. En la mayoría de las subespecies, la coloración se vuelve más oscura cuando envejecen, y muy pocas retienen de por vida las manchas brillantes de recién nacidas. Además, algunas subespecies son más grandes que otras. Con tan amplia distribución geográfica (¡de Canadá a Ecuador!), esta especie se adapta a diferentes temperaturas y ocupa gran variedad de hábitats: bosques, tierras de labrantío, pendientes de montañas y áridos desiertos. En cautividad, todas se pueden tratar de forma similar, aunque las más pequeñas son difíciles de conservar y de conseguir reproducir, porque las crías recién nacidas son demasiado pequeñas para comer ratones. En la práctica, las especies a la venta suelen ser de tamaño medio o grande, más fáciles de alimentar.

▲ *Serpiente de leche de Campbell de bandas naranjas, con su camada de huevos recién puestos.*

Temperamento

Variado. La mayoría son bastante fáciles de manipular y pocas veces muerden, pero todas tienden a mostrarse nerviosas. Son de movimientos rápidos y no les gusta que las retengan. A menudo se liberarán con una sacudida si no se

las sostiene con firmeza. Son reservadas y de hábitos nocturnos.

Habitáculo

El tamaño del terrario depende de la subespecie. Las variedades pequeñas pueden estar en una superficie de 60 × 30 cm, pero las grandes, como la serpiente de leche hondureña, precisan el doble de longitud. No es importante la altura, ya que son terrestres y pocas veces trepan. Necesitan un sustrato de virutas de madera, una o dos cajas de escondite y un recipiente grande con agua para refrescarse.

Condiciones ambientales

Una temperatura de 18-28 °C, aunque dependerá del origen de la subespecie; las del norte prefieren temperaturas más bajas que las sureñas o subtropicales, y a veces se pueden mantener a temperatura ambiente. Se generará un gradiente térmico con una unidad eléctrica bajo el terrario y situada en sólo un

▼ *La culebra lechera de Stuart,* Lampropeltis triangulum stuarti, *de coloración brillante, es una de las variedades de librea más regular.*

▶ *Típica serpiente de leche de Campbell, L. t. campbelli.*

Gastos				
G. instalación				
G. corrientes				

Tamaño: 50 cm-2 m, dependiendo la subespecie.

Origen: América del Norte, América Central y norte de América del Sur.

Vida: 15-25 años.

extremo de la jaula. La humedad será baja y, al ser de costumbres nocturnas, no necesitan iluminación.

Atención

De cinco a diez minutos diarios.

Variedades

Hay hasta 25 subespecies, cuyo tamaño va desde la pequeña real escarlata (*L. triangulum elapsoides*), que crece hasta 50 cm, hasta la gran serpiente de leche hondureña (*L. t. hondurensis*) y otras especies tropicales, que llegan a los 2 metros. Entre las más populares está la de Sinaloa (*L. t. sinaloae*), con

bandas rojas anchas que separan las tríadas; la culebra lechera de Stuart, parecida pero con las bandas rojas no tan anchas; la serpiente de leche de Campbell (*L. t. campbelli*), con bandas más o menos de igual anchura, y la serpiente de leche mexicana (*L. t. annulata*), cuyos anillos claros a menudo son amarillos, si bien existen muchas otras variantes. Hay variedades en que las bandas claras son naranjas, como la serpiente de leche hondureña «mandarina», cuyas estirpes se han seleccionado por su coloración brillante, y otras han dado lugar a ejemplares albinos.

Cuidados

Hay que darles de comer una vez por semana en primavera y verano, cambiar el agua a diario y limpiar el terrario según necesidad.

Alimentación

Ratones, pero hay que recordar las indicaciones sobre las subespecies pequeñas, reacias a comer ratones cuando son jóvenes.

Reproducción

Es muy fácil, y siempre hay a la venta ejemplares jóvenes criados en cautividad.

Inconvenientes

El reducido tamaño de las crías de algunas subespecies, aunque esto se evita eligiendo las variedades más corrientes.

Lampropeltis pyromelana

Culebra real sonorense

Esta serpiente es una especie tricolor muy vistosa, con anillos blancos bordeados de negro sobre un fondo rojo. A veces se la conoce como serpiente falso coralillo, porque imita a las serpientes de coral venenosas, si bien la combinación de los anillos o «tríadas» es ligeramente distinta. El hocico es blanco, lo cual la diferencia de una especie similar, la culebra real de California, de hocico negro. Vive entre las rocas de las cadenas montañosas, a menudo en lugares con escasa vegetación arbórea a base de coníferas.

Temperamento
Son muy reservadas, apacibles y fáciles de manipular, y sólo muerden en raras ocasiones.

Habitáculo
Un terrario con una superficie de 75 × 45 cm es adecuado para una serpiente adulta. La altura no es importante porque pocas veces trepan. Precisan un sustrato hondo de virutas de madera, una o dos cajas de escondite y un recipiente grande con agua para refrescarse.

Condiciones ambientales
Suele bastar con una temperatura de 18-25 °C y también con la temperatura normal de una habitación. Necesitan un gradiente térmico creado con una unidad eléctrica bajo el terrario y situada sólo en un extremo. La humedad será baja y no necesitan iluminación.

Atención
De cinco a diez minutos diarios.

Variedades
Hay varias subespecies, pero las diferencias son mínimas. La culebra real de California, *Lampropeltis zonata*, es parecida, pero no tan habitual en cautividad.

Cuidados
Darles de comer una vez por semana en primavera y verano, cambiar el agua y limpiar el terrario según sea necesario. Esta especie se suele negar a comer en invierno, en cuyo caso es mejor dejarla que hiberne a 8-10 °C.

Gastos			
G. instalación			
G. corrientes			

Tamaño: 50-100 cm.

Origen: Suroeste de Estados Unidos y áreas limítrofes de México.

Vida: 25 años o más.

Alimentación
Ratones.

Reproducción
Se reproducen con facilidad, pero necesitan un período de frío invernal.

Inconvenientes
No siempre son fáciles de conseguir; sus camadas no son prolíficas.

▲ *Ejemplar de la subespecie L. p. pyromelana.*

▶ *Ejemplar de la subespecie L. p. woodini.*

Pantherophis bairdi

Serpiente ratonera de Baird

PERFIL

Es de color gris, con la cabeza y el borde de las escamas naranja y cuatro líneas oscuras que recorren su cuerpo. Una variedad muy atractiva es el endemismo mexicano, que tiene el cuerpo amarillo y la cabeza gris. Las serpientes jóvenes de ambas variedades lucen manchas más oscuras en la espalda, que van desapareciendo cuando crecen. Sus escamas son más lisas que las de la mayoría de las serpientes ratoneras. Vive en desfiladeros rocosos y en laderas montañosas de sierras de clima árido de un área reducida de Texas y en el noroeste de México, y pocas veces se ve en estado salvaje.

Gastos			
G. instalación			
G. corrientes			

Tamaño: 85-135 cm.
Origen: América del Norte.
Vida: 15-20 años.

◄ *Ejemplar del endemismo mexicano, no tan habitual como el tejano, y que es muy fácil de distinguir por su cabeza gris y su cuerpo amarillo. Ambas variedades son grises con manchas oscuras cuando son jóvenes; la coloración adulta tarda uno o dos años en aparecer.*

▼ *Serpiente subadulta del endemismo tejano; las manchas propias de los ejemplares jóvenes aún no han desaparecido del todo.*

Temperamento
Casi siempre son apacibles y fáciles de manipular.

Habitáculo
Un terrario con una superficie de 75 × 45 cm es el espacio mínimo para una serpiente adulta normal; las más grandes precisan más espacio. Necesitan un sustrato de virutas de madera, una caja de escondite y un recipiente grande con agua para refrescarse. La presencia de otros elementos en el terrario es opcional.

Condiciones ambientales
El gradiente térmico debe situarse entre 20 y 28 °C, creado con una unidad eléctrica bajo el terrario y situada en un extremo. No se requiere iluminación y la humedad será baja.

Atención
De cinco a diez minutos al día, y más tiempo para la limpieza. Pueden hibernar en invierno, en cuyo caso no necesitan comer y el tiempo de atención es mínimo.

Variedades
Sólo las dos mencionadas arriba: las variedades tejana y mexicana.

Cuidados
Hay que darles de comer; cambiar el agua y limpiar el terrario, cuando sea necesario.

Reproducción
Muy fácil. Las crías recién nacidas se muestran vigorosas y comienzan a alimentarse sin problemas.

Alimentación
Ratones.

Inconvenientes
Ninguno.

Pantherophis guttatus

Serpiente del maizal

PERFIL

Es una especie ratonera y una de las más populares entre los herpetólogos. Y con razón. Es atractiva, adopta muchos colores naturales u obtenidos mediante cría selectiva, su tamaño es adecuado, es fácil de manipular y se reproduce bien en cautividad. Las salvajes son de color gris, pardo o pajizo, con grandes manchas en forma de silla de montar rojas o marrón rojizo. Cada mancha tiene los bordes negros. El vientre muestra un dibujo ajedrezado con escaques negros y blancos. Como la mayoría de las ratoneras, tiene, transversalmente, forma de pan de molde con el vientre plano. Es esbelta y la cola es larga. Las variaciones cromáticas atañen al fondo y a las manchas. Las serpientes de Carolina del Sur, llamadas serpientes del maizal de Okeetee, muestran brillantes tonos rojos, con las manchas en silla de montar con el borde ancho y negro, y son muy buscadas. Las de Miami son grises o plateadas con manchas estrechas de color rojo-naranja. Son las variantes más extremadas, y casi todo el resto ocupan un puesto intermedio. No obstante, la especie se ha criado en cautividad mucho tiempo y los endemismos geográficos han acabado mezclados en la búsqueda de nuevas variedades. Las estirpes puras de endemismos específicos son casi imposibles de obtener.

Trepan bien, pero se suelen hallar en el suelo, en variedad de hábitats, como bosques abiertos, colinas rocosas y edificios abandonados. Se alimentan sobre todo de roedores, que cazan y engullen bajo tierra.

Temperamento

Algunas son nerviosas y propensas a morder, pero suelen ser dóciles y fáciles de manipular. A veces se muestran intranquilas en cautividad, y son expertas en escapar.

Habitáculo

Un terrario con una superficie de 60 × 45 cm es el espacio mínimo para una serpiente adulta. La altura no es tan importante, aunque treparán si tienen oportunidad. Muchos criadores las tienen en bandejas o cajas de plástico para ahorrar espacio. Necesitan un sustrato de virutas de madera, una caja de escondite y un recipiente grande con agua para refrescarse. La presencia de otros elementos en el terrario es opcional.

Condiciones ambientales

Es importante mantener un gradiente térmico entre 20 y 28 °C. La presencia de una unidad eléctrica bajo el terrario, sólo en un extremo, es la mejor forma de conseguirlo. No se necesita iluminación y la humedad será baja.

Atención

De cinco a diez minutos al día, con períodos más largos para limpiar. Se le puede permitir hibernar en invierno, en cuyo caso no necesita comer y el tiempo que se le dedica es mínimo.

▲◄ *La variedad amelanística (arriba) carece de pigmentación negra, mientras que la variedad del Okeetee sólo se encuentra en la naturaleza.*

▼ *Variedad aneritrística rayada. Los ojos nublados muestran que pronto mudará la piel.*

Gastos			
G. instalación			
G. corrientes			

Tamaño: 75-120 cm.
Origen: Este de América del Norte.
Vida: 15-20 años.

Variedades

Las serpientes del maizal fueron las serpientes «de marca» originales. Además de los endemismos geográficos, existen variedades en las que falta la pigmentación negra (amelanística), el pigmento rojo (aneritrística) o toda la pigmentación («nieve» y «ventisca»), o el pigmento negro se ha desvaído (hipomelanística); y diversas variantes criadas selectivamente, así como combinaciones de éstas, muchas de ellas con nombres de fantasía. También hay variaciones en el dibujo de la librea, como serpientes del maizal rayadas, que también se combinan con cualquiera de las variaciones de color. La lista es interminable. La selección de la serpiente se basará en la salud y el vigor; la elección del color y su dibujo será secundaria. Una serpiente débil de librea espectacular no nos dará tantas satisfacciones como una sana menos colorida y que coma bien.

▲ *La variedad aneritrística carece de pigmentación roja.*

Cuidados

Hay que darles de comer; el cambio de agua y la limpieza del terrario se harán según haya necesidad.

Alimentación

Ratones.

Reproducción

Se reproducen con gran facilidad y hay muchos ejemplares a la venta criados en cautividad.

Inconvenientes

Ninguno, aunque algunas crías recién nacidas son pequeñas y reacias a comer al principio.

Víbora ratonera o serpiente negra

PERFIL

Es una especie variable, con distintas subespecies identificadas. Todas comienzan su andadura con una librea grisácea, con manchas oscuras por la espalda. La víbora ratonera gris (a veces considerada una especie diferente) conserva este color toda la vida; la serpiente ratonera negra adopta un color negro intenso; la amarilla se vuelve de ese color con cuatro líneas oscuras en la espalda, y la de los Everglades es similar a la amarilla, pero de librea naranja. Grande y poderosa, y una constrictora eficaz, vive en variedad de hábitats, desde colinas rocosas, tierras de labrantío o bosques de suelo despejado hasta ciénagas.

Temperamento

Suelen ser tranquilas, pero algunos ejemplares tienen mal genio y a veces muerden.

Habitáculo

Un terrario con una superficie de 100 × 45 cm es el espacio mínimo para una serpiente adulta. Les gusta trepar y pueden tener una jaula grande con ramas, si bien no es esencial. Necesitan un sustrato de virutas de madera, una caja de escondite y un recipiente grande con agua para refrescarse.

Condiciones ambientales

Un gradiente térmico entre 20 y 28 °C generado con calefacción bajo el terrario sólo en un extremo es el mejor medio para calentar el ambiente. No se necesita iluminación y la humedad será baja.

Atención

De cinco a diez minutos al día, dedicando períodos más largos a la limpieza.

▲ *Ejemplar joven de víbora ratonera de los Everglades. Con la edad, las manchas serán remplazadas por cuatro líneas longitudinales oscuras.*

Gastos		
G. instalación		
G. corrientes		

Tamaño: 1,5-2 m.
Origen: Este de América del Norte.
Vida: 15-20 años.

Pueden hibernar en invierno, en cuyo caso no necesitan comer y el tiempo de atención es mínimo.

Variedades

Subespecies ya enumeradas arriba: gris, negra, amarilla y de los Everglades, y otra, la serpiente ratonera de Texas, que pocas veces se conserva en cautividad. También hay variedades albinas, leucísticas (con poca pigmentación), etc.

Cuidados

Darles de comer; el cambio del agua y la limpieza del terrario se harán según haya necesidad.

Alimentación

Ratones y ratas. Los adultos grandes comen ratas adultas.

Reproducción

Se reproducen con facilidad y las crías recién nacidas suelen empezar a comer sin problemas.

Inconvenientes

A veces alcanzan un tamaño enorme para el terrario que ocupan, y algunas son agresivas.

Pituophis catenifer

Serpiente de Gopher

PERFIL

Es pariente de las dos especies llamadas «serpiente toro» (*Pituophis catenifer sayi* y *Pituophis melanoleucus*), que antes se clasificaban como la misma especie. Es grande y corpulenta, con el cuerpo de color pardo o crema con muchas manchas irregulares y más oscuras marrones en la espalda. Sus escamas están aquilladas y le confieren un aspecto áspero. Vive en desiertos, tierras de labrantío, monte bajo y jardines, y a menudo en las afueras de las ciudades. Cuando se alarma, hace vibrar la cola y, si está enroscada entre hojas muertas, puede generar un sonido que tal vez la confunda con la serpiente de cascabel.

▲ *La serpiente toro*, Pituophis catenifer sayi, *es la más grande de las subespecies y una hermosa mascota.*

Gastos			
G. instalación			
G. corrientes			

Tamaño: 1-1,5 m, a veces hasta 2 m.

Origen: Oeste de América del Norte.

Vida: 15-25 años.

Temperamento

Los ejemplares salvajes pueden ser agresivos, silbar con fuerza y atacar; los criados en cautividad suelen ser fáciles de manipular.

Habitáculo

Un terrario con una superficie de 100 × 30 cm para las adultas, aunque si es más grande, mejor. La altura no es importante, pero sí un sustrato de virutas de madera, una caja de escondite y un recipiente grande con agua para refrescarse.

Condiciones ambientales

Una temperatura de 20-28 °C, con el gradiente térmico generado con calefacción puntual bajo el terrario sólo en un extremo. La humedad será baja y no necesita iluminación, porque sus hábitos son nocturnos. Pueden hibernar en invierno.

Atención

De cinco a diez minutos diarios.

Variedades

Hay hasta diez subespecies, todas de tamaño, coloración y librea ligeramente distintos. La más popular es la serpiente de Gopher de San Diego, *P. c. annectens*, y la serpiente de Gopher del desierto, *P. c. affinis*. Ambas cuentan con variantes albinas, también muy populares.

Cuidados

Darles de comer; el agua se cambiará a diario, y se limpiará el terrario según haya necesidad.

Alimentación

Ratones y ratas pequeñas. Pueden engullir presas bastante grandes.

Reproducción

Se reproducen fácilmente en cautividad y suele haber en las tiendas un amplio surtido de ejemplares jóvenes.

Inconvenientes

Adquieren un tamaño excesivo para algunos terrarios y a veces son agresivas, aunque suelen ser fáciles de mantener y de trato agradable.

▲ *Librea de colorido especialmente vistoso perteneciente a una serpiente de Gopher de San Diego*, P. c. annectens.

Serpiente toro

PERFIL

Estrechamente relacionada con la serpiente de Gopher, es una especie grande y corpulenta, y una poderosa constrictora. Tiene el hocico en punta y escamas muy aquilladas. Su librea y sus manchas son muy variables según la subespecie. Es de costumbres terrestres y las hembras excavan galerías en el suelo arenoso donde depositan sus huevos. También habitan cerca de granjas y explotaciones agrícolas, donde las atrae la presencia de roedores. La serpiente toro levanta la porción anterior del cuerpo, forma una S y emite un silbido intimidador cuando se siente amenazada.

Habitáculo

Dependiendo de su tamaño, las adultas se conservarán en un terrario con una superficie de 100 × 30 cm, si bien se necesitan dimensiones mayores para ejemplares colosales. La altura no es importante. Precisan un sustrato de virutas de madera, una caja de escondite y un recipiente con agua lo bastante grande como para que refresquen todo el cuerpo.

Condiciones ambientales

Una temperatura de 20-28 °C es ideal en verano; y se necesita un gradiente térmico generado con calefacción bajo el terrario, pero sólo en un extremo. La humedad será baja y no se requiere iluminación, ya que son de hábitos nocturnos. Pueden hibernar durante el invierno.

Atención

De cinco a diez minutos al día.

Variedades

Hay tres subespecies. La serpiente toro del norte, *P. m, melanoleucus*, es blanca o crema con manchas marrones o negras; la de Florida, *P. m. mugitus*, que tal vez sea una versión desvaída de la serpiente toro del norte o completamente amarilla pálida, y la serpiente toro

Gastos				
G. instalación				
G. corrientes				

Tamaño: 1,5-2,3 m.

Origen: Este de América del Norte.

Vida: 15-25 años.

▼◄ *Ambos ejemplares sin pigmentación son de la subespecie serpiente toro de Florida.*

negra, *P. m. lodingi*, totalmente negra. La poco corriente serpiente toro de Luisiana es ahora una especie diferenciada: *Pituophis ruthveni*.

Cuidados

Darles de comer, cambiar el agua a diario y limpiar según necesidad.

Alimentación

Ratones y ratas pequeños.

Reproducción

Se reproducen con facilidad, pero depositan pocos huevos de los que eclosionan serpientes.

Inconvenientes

Son bastante grandes y a veces agresivas.

Temperamento

Las serpientes criadas en cautividad raramente muerden, pero a veces son nerviosas y no parece que les guste que las manipulen.

Zamenis longissimus

Culebra de Esculapio

PERFIL

Grácil y hermosa a pesar de su piel monocroma, marrón u olivácea, con el cuello y la mandíbula inferior de color amarillento. Los ejemplares jóvenes lucen motas blancas en las escamas, que al madurar se desvanecen. Algunas poblaciones comprenden culebras negras (melanísticas). Esta especie vive en variedad de hábitats, como montañas, monte bajo y tierras de cultivo. Es una buena escaladora y se enrosca en muretes de piedra, setos y agujeros en árboles viejos.

Temperamento

Las capturadas en la naturaleza suelen ser nerviosas y con tendencia a morder; las criadas en cautividad se domestican bien y cuando son subadultas se calman.

Habitáculo

No se acostumbran a habitáculos como cajas o bandejas; lo que necesitan es un terrario de 100 × 50 × 50 cm. Les gusta trepar y deberán contar con una o dos ramas inclinadas, así como con una caja de escondite y un recipiente con agua. El sustrato será de virutas de madera o similar.

Condiciones ambientales

Precisan una temperatura ambiente de 20-25 °C, y una lámpara de insolación para crear un área donde llegue hasta 30 °C, a la que acudirán después de comer. En ocasiones se pulverizará ligeramente con agua, siempre y cuando el terrario esté bien ventilado, aunque no es estrictamente necesario a menos que tengan problemas para mudar la piel.

Atención

De cinco a diez minutos diarios.

Variedades

La variedad melanística mencionada arriba y también una variedad rayada, ahora considerada una especie aparte, *Zamenis lineata*, originaria del sur de Italia.

Gastos			
G. instalación			
G. corrientes			

Tamaño: 1-1,5 m.

Origen: La mayor parte del sur, centro y este de Europa.

Vida: 15-20 años.

Cuidados

Darles de comer una vez por semana en verano, cambiar el agua con regularidad y limpiar el terrario cuando sea necesario. Si hibernan, no requieren apenas cuidados durante ese período.

Alimentación

Ratones. A veces se niegan a comer a mediados de verano, y en invierno, cuando tal vez hibernen.

Reproducción

Bastante, aunque se necesita un terrario grande.

Inconvenientes

No les gusta que las manipulen mucho y a veces muerden.

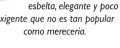

◄ *La culebra de Esculapio es una especie esbelta, elegante y poco exigente que no es tan popular como merecería.*

Zamenis situla

Serpiente leopardo

Serpiente ratonera, pequeña y hermosa, con una librea de manchas rojas, marrones rojizas o marrones, sobre un fondo de motas grises o crema. Suelen mostrar a veces bordes negros y lucen una raya negra que cruza la cabeza entre los ojos. En algunas regiones también existe una variedad listada en la que las manchas rojas asumen la forma de rayas longitudinales, también de bordes negros. Es originaria del sur de Italia, algunas islas del Mediterráneo, Europa oriental y Asia occidental. Las de librea bien definida son de los colúbridos más atractivos. Se suelen hallar en zonas rocosas, como paredes de mampostería en seco y conos de desmoronamiento, aunque también en cementerios, jardines descuidados y ruinas. Son más activas en primavera y comienzos de verano, cuando sus hábitos son diurnos, y luego se vuelven nocturnas y más reservadas los días muy calurosos. En cautividad, a menudo rechazan la comida a mediados de verano, pero comen con ganas en primavera y otoño, por lo que la alimentación se concentrará en esas estaciones.

▲ *A juzgar por el sustancial volumen de su estómago, esta serpiente leopardo listada parece haber comido hace poco.*

Temperamento

Las salvajes son nerviosas y muestran inclinación a morder, los ejemplares criados en cautividad son dóciles y fáciles de manipular. Como muchas otras especies, es más fácil domesticarlas si cuentan con escondrijos donde recogerse. Obligarlas a estar al descubierto sólo sirve para que se vuelvan nerviosas e incluso agresivas.

Habitáculo

Un terrario que mida 60 × 30 × 30 cm es adecuado para una serpiente adulta de tamaño medio. Contará con un sustrato de virutas de madera y al menos una caja de escondite. También podría ser posible encuadrar esta especie en un entorno seminaturalista y usar lajas de piedra o madera de deriva para crear escondrijos.

Condiciones ambientales

Precisan una temperatura de 20-25 °C, y se aplicará calor en sólo un extremo del terrario mediante tiras calefactoras que cubran, por lo menos, un tercio de la superficie, o una luz de insolación de baja potencia dirigida hacia una roca lisa, por ejemplo. En la mayoría de las viviendas se pueden tener a temperatura ambiente (cálida). No es necesaria una lámpara de luz UV. Se requiere sequedad, aunque ocasionalmente es beneficioso pulverizar el terrario con un poco de agua.

Atención

De cinco a diez minutos al día.

Variedades

Moteadas y listadas, como se ha dicho arriba. Hay otras ligeras variaciones muy numerosas, a menudo asociadas con endemismos geográficos. Algunas, por ejemplo, carecen de bordes negros en sus manchas.

◀ *Las serpientes leopardo son, según algunos, las serpientes europeas más bellas.*

▲ *Ejemplar de librea moteada muy definida.*

Gastos			
G. instalación			
G. corrientes			

Tamaño: 70-100 cm; habitualmente 70 cm o menos.

Origen: Sur de Italia, islas mediterráneas, Europa oriental y Asia occidental.

Vida: 15-20 años como mínimo.

▼ *Los ejemplares rayados son menos corrientes que los moteados.*

Cuidados

Darles de comer una vez por semana y limpiar el terrario según necesidad. Si dejan de comer en otoño, lo mejor es dejarlas que hibernen apagando la calefacción y trasladándolas a un lugar fresco.

Alimentación

Ratones de pequeño tamaño. Las comidas serán relativamente frugales, pues hasta las adultas son reacias a comer ratones grandes y prefieren roedores jóvenes a medio crecer o incluso ratones de pocos días de vida. A menudo comen en espacios confinados, y por eso se dejará la comida en cajas de escondite, lo cual animará a las más reacias. Tal vez no se alimente durante el invierno, ni a mediados del verano, por lo que se les dará comida con regularidad cuando quieran comer; es decir, en primavera y otoño.

Reproducción

Se reproducen con facilidad siempre y cuando hayan hibernado varios meses el invierno anterior. No son prolíficas, pues depositan de tres a seis huevos elongados.

Inconvenientes

La falta de ejemplares en venta, lo cual hace que sean caras respecto a especies similares. También se muestran temperamentales a la hora de comer si no se tienen en cuenta sus hábitos naturales.

Thamnophis marcianus

Culebra listonada manchada

PERFIL

Esta especie es fácil de distinguir por su franja pálida en el centro de la espalda y sus grandes manchas negras a ambos lados que siguen un patrón ajedrezado sobre un fondo de color oliváceo claro. Muy adaptable, se ha adentrado en regiones desérticas siguiendo los sistemas de irrigación. También ocupa las praderías y herbazales, y áreas con escasa presencia arbórea, siempre y cuando haya agua en las cercanías. En regiones muy cálidas se muestra activa por la noche. Está desapareciendo en gran parte de su distribución geográfica por las prácticas agrícolas modernas.

Temperamento
Nerviosas y rápidas de movimientos, como otras serpientes de jarretera, aunque se domestican mejor.

Habitáculo
Igual que el de la serpiente de jarretera común, aunque esta especie no suele crecer tanto y puede estar en terrarios más pequeños.

Condiciones ambientales
Iguales que las de la serpiente de jarretera común. Es importante establecer un gradiente térmico.

Atención
De diez a quince minutos al día.

Variedades
Existe una variedad albina, que fue una de las primeras serpientes de jarretera albinas a la venta.

Cuidados
Darles de comer una vez por semana, cambiar el agua a diario y limpiar el terrario según necesidad.

Gastos			
G. instalación			
G. corrientes			

Tamaño: 50-100 cm; hembras más grandes que machos.
Origen: Centro y sur de América del Norte.
Vida: 10-15 años.

Alimentación
Esta especie es más fácil de alimentar que otras serpientes de jarretera, porque es frecuente que coma ratones además de su alimentación habitual. Son muy ávidas y las crías crecen con rapidez, hasta el punto de que a veces alcanzan el tamaño reproductor en menos de un año si están bien alimentadas.

Reproducción
Muy fácil. Las hembras se reproducen dos veces en una misma época de celo, y la hibernación no es esencial para ellas.

Inconvenientes
Necesitan terrarios bastante grandes, y no son tan fáciles de manipular como otras especies, aunque de todas las serpientes de jarretera que suele haber a la venta, es la más fácil de conservar.

◀ *Es una especie atractiva y adaptable de serpiente de jarretera, y se suele desenvolver bien en cautividad.*

Thamnophis radix

Serpiente de jarretera de las llanuras

PERFIL

Es una de las serpientes de jarretera de mayor colorido, con una franja brillante, naranja o amarilla, en su espalda. Su librea es verde olivácea, más pálida por los flancos, con dos filas de manchas negras a ambos lados y unas rayas negras bajo los ojos. Vive en praderas y tierras de labrantío, normalmente sin alejarse de marismas, cursos de agua y charcas. Como otras serpientes de jarretera, pare crías vivas, que llegan hasta 90 en casos extremos.

Temperamento
Nerviosas y rápidas, pero fáciles de manipular y poco propensas a expeler el contenido de sus glándulas anales.

Habitáculo
Igual que el de la serpiente de jarretera común (páginas 200-1), aunque no crece tanto y puede estar en terrarios más pequeños.

Condiciones ambientales
Las mismas que para la serpiente de jarretera común. Es importante establecer un gradiente térmico.

Atención
De diez a veinte minutos al día.

Gastos			
G. instalación			
G. corrientes			

Tamaño: 50-70 cm.
Origen: Centro de América del Norte.
Vida: 10-15 años.

Variedades
Hay dos subespecies, la del este, *T. radix radix*, y la del oeste, *T. radix haydeni*. Esta última tiene manchas negras más pequeñas entre las franjas. También las hay albinas y con otras mutaciones cromáticas.

Cuidados
Darles de comer una vez por semana, cambiar el agua a diario y limpiar el terrario según necesidad.

Alimentación
Igual que para la serpiente de jarretera común. Es probable que coma más ranas que peces en la naturaleza, pero en cautividad se alimentará de comida artificial para serpientes de jarretera.

Reproducción
Se reproducirán en las condiciones correctas. Pueden necesitar un largo período de hibernación.

Inconvenientes
Darles de comer suele llevar bastante tiempo a menos que acepten comer ratones. No disfrutan del contacto humano.

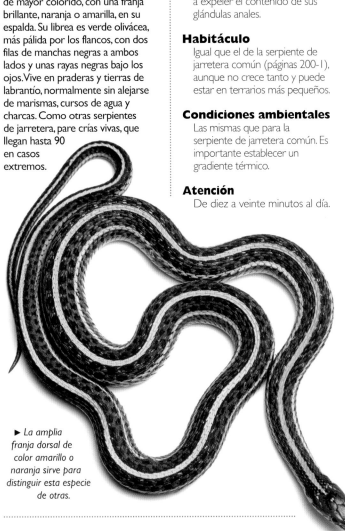

► *La amplia franja dorsal de color amarillo o naranja sirve para distinguir esta especie de otras.*

199

Serpiente de jarretera

PERFIL

La distribución geográfica de esta serpiente de jarretera es muy amplia por toda América del Norte y ocupa hábitats muy diferentes. Luce una franja blanca o amarilla en el centro del dorso y en los flancos. Otros colores y manchas son variables y dependen de las subespecies, de las cuales se han identificado unas doce. Las subespecies occidentales de Estados Unidos suelen exhibir manchas rojas en la espalda y la cabeza, mientras que las orientales acostumbran a ser grises, marrones, rosadas o azules. Muchos ejemplares exhiben una librea de cromatismo y patrón intermedios, por lo que tal vez sea complicado asignarlos a una subespecie concreta.

Se asocian con entornos acuáticos y se suelen hallar cerca de lagos, estanques, acequias y ríos. Su dieta natural comprende ranas, tritones, peces y lombrices. Son muy habituales en algunas áreas, aunque ciertas variedades, como la de San Francisco, están en peligro de extinción por la destrucción de su hábitat. Algunos de estos endemismos poco corrientes se crían en cautividad y es posible comprar ejemplares legalmente a través de criadores.

Temperamento

Nerviosas y de movimientos rápidos, no les gusta que las toquen e intentan escapar, a veces rociando con un líquido hediondo que liberan sus glándulas anales. Las que llevan tiempo en cautividad suelen abandonar esta costumbre. De hábitos diurnos, están siempre alerta, sobre todo si husmean comida.

Habitáculo

Las serpientes de jarretera precisan grandes terrarios porque son muy activas. El tamaño mínimo para una pareja o un grupo reducido de adultas será una superficie de 100 × 50 cm. La altura no es tan importante porque no suelen trepar. La jaula tendrá un sustrato de virutas de madera y muchos escondrijos, como cajas de escondite, tejas de corcho o macetas rotas. Aunque es esencial un recipiente grande con agua, el sustrato deberá mantenerse seco.

Condiciones ambientales

Según su origen geográfico, necesitan un gradiente térmico de 18-28 °C, aunque también toleran temperaturas más bajas. El foco de calor se logrará debajo de la jaula con una unidad eléctrica, o una lámpara situada encima del terrario, o por ambos medios. La humedad será baja. Parecen beneficiarse de una lámpara de luz UV y se recomiendan lámparas de luz diurna.

▲ *La variedad de San Francisco,* T. s. tetrataenia, *está en peligro de extinción en la naturaleza, pero se cría bien en cautividad.*

Gastos		
G. instalación		
G. corrientes		

Tamaño: 50-130 cm, dependiendo la subespecie.

Origen: América del Norte, desde Canadá hasta México.

Vida: 10-15 años.

▲ *Las serpientes de jarretera del este de América del Norte presentan muchas variantes cromáticas, pero siempre lucen franjas longitudinales.*

Atención
De diez a veinte minutos al día.

Variedades
Se han descrito muchas variedades arriba. Las más populares son la de San Francisco, *T. s. tetrataenia*, la de flanco rojo de California, *T. s. infernalis*, y la de franja azul, *T. s. similis*, de la costa del noroeste de Florida, aunque a veces se hallan en tiendas todas sus variedades. Además, hay camadas criadas selectivamente para que sean albinas o melanísticas, y algunas libreas muy vistosas de color naranja llamadas serpientes de jarretera «flamígeras».

Cuidados
Hay que darles de comer una o dos veces por semana. El recipiente se lavará y rellenará de agua a diario, especialmente después de comer, y se limpiará el terrario con frecuencia.

Alimentación
Peces, lombrices y, a veces, ratones. La nutrición de las serpientes de jarretera y otras serpientes piscívoras puede ser problemática. Algunos alimentos artificiales para ellas contienen una dieta equilibrada que incluye un suplemento de vitaminas y minerales. Las dietas artificiales también se pueden preparar en casa usando trucha como ingrediente principal. Los ejemplares que coman ratones plantearán un problema menor. Las lombrices serán sólo aptas para crías recién nacidas durante las primeras semanas.

Reproducción
Su reproducción es relativamente sencilla. Son ovovivíparas y algunas subespecies son muy prolíficas.

Inconvenientes
En ocasiones lleva bastante tiempo darles de comer, y necesitan que la jaula se limpie con más frecuencia que la de muchos otros ofidios. No son aptas para los que gusten de tocar sus serpientes habitualmente.

▲ *La serpiente de jarretera de flanco rojo de California es, según algunos, la de mayor colorido, pero rara vez se halla en cautividad. La franja azul y las manchas rojas de sus costados son típicas.*

Opheodrys aestivus

Serpiente verde áspera

PERFIL

Es una especie preciosa y esbelta que vive entre la vegetación densa, donde su coloración hace muy difícil verla. Es verde en la espalda, más pálido por el vientre, y amarillo pálido en la barbilla. Las escamas son ligeramente aquilladas, lo cual la diferencia de otra especie, la serpiente verde lisa, originaria de la misma región. Sus hábitos son parcialmente arbóreos y trepa a árboles y arbustos, y con frecuencia deposita sus huevos en huecos de troncos abatidos y podridos. Es una de las pocas serpientes insectívoras que pueden adquirir los herpetólogos.

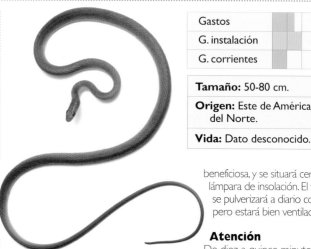

Gastos			
G. instalación			
G. corrientes			

Tamaño: 50-80 cm.

Origen: Este de América del Norte.

Vida: Dato desconocido.

Temperamento
Bastante nerviosas pero muy dóciles, son de hábitos diurnos, activas y siempre están alerta.

Habitáculo
Como es arborícola, se necesita un terrario alto con una superficie de 60 × 45 cm y una altura mínima de 60 cm para uno o dos adultos. Contará con numerosas ramas de distintos diámetros y plantas vivas y artificiales para esconderse y trepar. El sustrato puede ser de virutas de madera, aunque la apariencia de un lecho de hojas muertas resulta más natural, y deben tener un recipiente con agua limpia.

Condiciones ambientales
Es ideal conseguir un gradiente térmico de 20-30 °C, para lo cual se calentará la jaula por debajo con una manta térmica, y se instalará una lámpara de insolación para elevar la temperatura diurna en una zona. Tal vez una lámpara de luz UV o de luz natural sea beneficiosa, y se situará cerca de la lámpara de insolación. El terrario se pulverizará a diario con agua, pero estará bien ventilado.

Atención
De diez a quince minutos al día.

Variedades
Ninguna.

Cuidados
Darles de comer una vez por semana, cambiar el agua a diario y limpiar el terrario según necesidad.

Alimentación
Insectos como grillos, saltamontes, larvas del lepidóptero *Pyralidae*, orugas, arañas y otras especies de jardín.

Reproducción
Pocas veces se intenta.

Inconvenientes
Los ejemplares salvajes a veces no se adaptan y no comen, y casi no hay a la venta ejemplares jóvenes criados en cautividad. Son un proyecto interesante para algunas personas.

▲ *Es una especie preciosa y apropiada para un terrario con un paisaje naturalista con plantas vivas.*

Boaedon fuliginosus

Serpiente de las casas africana

PERFIL

Es una especie elegante y originaria de África, con escamas lisas y sedosas, y la cabeza estrecha. Las crías son jaspeadas en la mitad anterior del cuerpo, pero cambian gradualmente a un marrón uniforme al ir creciendo. Suelen exhibir una franja blanca o crema en los ojos. Son muy adaptables y viven en áreas semidesérticas, herbazales, tierras de labrantío y, como su nombre indica, en viviendas.

▲ *Ejemplar de librea pálida.*

Temperamento
Suelen ser dóciles y es un placer manipularlas, aunque algunas son nerviosas y agresivas.

Habitáculo
Un terrario de 75 × 45 × 30 cm es adecuado para una adulta. Sus hábitos son principalmente terrestres, aunque treparán si se les brinda la oportunidad. Necesitan un sustrato de virutas de madera, una o dos cajas de escondite y un recipiente con agua bastante grande para que se refresquen.

Condiciones ambientales
La temperatura debe oscilar entre 18 y 25 °C, y la mejor disposición es un gradiente térmico, para lo cual se aplicará calor bajo la jaula sólo en un extremo. La humedad será baja y no es necesaria iluminación.

Atención
De cinco a diez minutos al día.

Variedades
Perdura la discusión sobre su taxonomía y aún se la clasifica en el género *Lamprophis* en algunas obras. La serpiente de las casas listada, *B. lineatus*, es parecida a la *B. fuliginosus*, pero luce una raya de color crema en los flancos. La *B. capensis* probablemente sea una variedad endémica de la *B. fuliginosus*, y la serpiente de las casas del desierto, *B. fuliginosus mentalis*, quizá sea una especie aparte. A veces también hay albinas y otros «morfos» en el mercado.

Cuidados
Alimentarlas una vez por semana, cambiar el agua a diario y limpiar el terrario según necesidad.

Gastos		
G. instalación		
G. corrientes		

Tamaño: 60-120 cm, esbeltas.	
Origen: África meridional.	
Vida: 12-15 años.	

▲ *Típica serpiente de las casas africana.*

Alimentación
Ratones. Son poderosas constrictoras y pueden engullir ratones relativamente grandes, aunque es mejor darles crías.

Reproducción
Mucha. Las hembras no pararán de poner huevos fértiles mucho después de haberlas separado de las serpientes macho.

Inconvenientes
Ninguno. Está infravalorada.

Índice onomástico

Índice onomástico en latín

Créditos de las fotografías

La mayoría de las fotografías reproducidas en este libro son obra del autor, **Chris Mattison**, a quien pertenece su copyright. Los editores le agradecen que haya dado su permiso para reproducirlas. Las fotografías que no son obra suya se enumeran y acreditan a continuación:

Shutterstock.com

alslutsky: 43 derecha.

Sira Anamwong: 155 abajo.

Ryan M. Bolton: 17 arriba; 96 abajo izquierda; 113 arriba.

Steve Bower: 40 derecha; 202 abajo izquierda.

Katrina Brown: 62 izquierda.

Andrew Burgess: 12 abajo izquierda.

Sasha Burkard: 45 arriba, portada (cubierta: rana de la izquierda).

Steve Byland: 125 abajo izquierda.

Kate Connes: 46 derecha.

A Cotton Photo: 42 arriba.

David Dohnal: 121 arriba.

EcoPrint: 67 arriba; 69 abajo; 71 abajo.

Dirk Ercken: 57 derecha.

fivespots: 6 arriba; 61 abajo derecha; 64 abajo izquierda; 81 abajo; 83 abajo derecha; 87 arriba; 88 abajo izquierda; 90 arriba; 97 centro derecha; 99 centro izquierda; 137 abajo; 157 abajo; 160 arriba; 163 abajo; 176 abajo derecha; 180 arriba; 188 arriba; 193 arriba; 194 centro derecha, 203 centro izquierda; 205 arriba.

Karel Gallas: 92 arriba.

iliuta goean: 34 abajo izquierda.

Michael C. Gray: 161 abajo izquierda.

Arto Hakola: 120 abajo izquierda.

Gabriela Insuratelu: 196 arriba.

Irinak: 3 (rana), 39 arriba.

Eric Isselée: 1 (tortuga), 1 (rana), 3 (gecko), 3 (lagarto de gorguera), 5, 14 abajo; 21 abajo; 22 arriba; 30 arriba; 36 arriba; 59 arriba; 60 abajo; 73 arriba; 82 arriba; 91 abajo derecha; 103 abajo; 109 arriba; 110 abajo, 114 arriba; 167

arriba; 126 arriba; 134 arriba; 138 abajo; 175 arriba; 181 arriba; 185 centro derecha; 206 abajo; 208 sobrecubierta (sapillo de vientre de fuego oriental, serpiente del maizal, tortuga; contraportada: boa común, mantela).

Matt Jeppson: 54 arriba; 154 abajo izquierda; 177 arriba.

Kletr: 58 arriba.

D. Kucharski y K. Kucharski: 20 abajo; 63 arriba.

Kuttelvaserova: 77 arriba.

Hugh Lansdown: 136 arriba.

Brian Lasenby: 124 arriba.

LuckyKeeper: 49 arriba; sobrecubierta (contraportada: rana arborícola).

mikeledray: 102 arriba.

Jeffrey Moore: 53 arriba.

NatalieJean: 3 (serpiente), 183 arriba.

Maxim Petrichuk: 89 centro derecha.

Psychotic Nature: 84 arriba.

RamonaS: 145 abajo derecha.

Dr Morley Read: 37 izquierda.

Peter Reijners: 129 centro derecha.

Arun Roisri: 24 arriba.

Ron Rowan Photography: 76 centro derecha.

s-eyerkaufer: 95 centro derecha.

SF photo: 80 arriba.

Audrey Snider-Bell: 50 arriba.

Ilias Strachinis: 128 arriba.

TiberiusSahlean: 72 arriba.

tongdang: 112 abajo.

tratong: 122 arriba; sobrecubierta (solapa posterior).

Xpixel: 2 (tortuga); 38 arriba; 39 arriba; 94 arriba.

Zenotri: 106 centro derecha.

Wikimedia Commons

Andrew S. Gardner, Mapping the terrestrial reptile distributions in Oman and the United Arab Emirates: 143 arriba.

Alastair Rae: 151 arriba.